나이 들면 즐거운 일이 없을 줄 알았습니다

나이 들면 즐거운 일이 없을 줄 알았습니다

단단하고 행복해지는 중년, 삶의 새로운 속도와 리듬

전윤정 지음

세이지

프롤로그

달라지는 내 몸과 마음의 속도를 찾아볼까요?

얼마 전, 차를 운전해 세종시에 다녀올 일이 있었다. 운전을 한 지 15년이 넘었지만 작년 고속도로에서 삼중 추돌 사고를 겪은 이후 처음 고속도로를 타는 거라 긴장이 됐다.

서울 시내에서 경부 고속도로로 들어서자 2차선을 타고 천천히 가자고 마음먹었다. 앞서 가는 소형 트럭 뒤에 안전거리를 두고 슬슬 따라갔다. 내 앞에 소형 트럭이 있어서 그런지 다른 차가 잘 끼어들지 않았고, 끼어들어도 곧 다른 차선으로 바꿔 나갔다.

백미러로 보니 내 뒤에도 나만큼 간격을 두고 오는 승용

차가 한 대 있었다.

'저 차 운전자도 나만큼이나 빨리 가려는 욕심이 없는 사람인가?'

친근감이 느껴졌다. 한참을 같이 달리다 뒤차가 나들목에서 빠져나갈 때는 아쉬운 마음이 들 정도였다. 2차선으로만 달려 무사히 세종시에 도착했다. 내비게이션이 예상한 도착 시간과 차이가 없었다.

문득 삶도 그렇지 않을까 싶었다. 사람 사이에 적당한 안전거리를 두고 내 속도로 살아야겠다고 생각했다. 내 속도를 정한다는 것은 내가 내 삶의 기준이 된다는 것이다. 추월당할까 불안해서 남의 속도에 맞춘다면 삶의 기준은 내가 아닌 타인이 된다. 자기 속도를 찾는 것은 결국 자기다운 삶을 산다는 것일 테다.

지금 내가 어디로 가고 있는지, 어디를 달리고 있는지를 알 수 있을 정도의 속도로 살고 싶다. 운전이든 삶이든 한 걸음 빨리 가려 조급해하지 말고 추월해가는 다른 차를 부러워하지 말아야지. 사람마다 삶의 목표 지점은 다르고, 같다 해도 다다르는 길은 모두 다르니까.

내 안의 속도도 조율이 필요하다. 중년에 들어서 느려져 가는 몸의 속도에 마음의 속도도 맞춰가야 한다. 송송 올라오는 흰머리, 글자가 흐릿해 보이기 시작하는 노안, 탄력을 잃는 피부, 야금야금 늘어가는 군살, 굽어가는 체형을 받아들일 마음의 준비를 한다.

얼마 전, 남편이 직장에서 생일 선물로 커피 선불카드를 받았다. "커피 주문 앱에 등록할 수 있을까?" 물어보기에 "카드 뒤에 방법이 쓰여 있겠지" 하고 카드를 뒤로 돌린 순간, 우리는 서로의 얼굴을 보고 웃어버렸다. 글자가 너무너무 작았기 때문이다. 스마트폰 카메라로 찍어 사진을 확대한 후 머리를 맞대고 읽었다. 내 핸드폰 카메라는 돋보기가 된 지 오래다.

파스타 봉투에 쓰여 있는 삶는 시간이 8분인지 9분인지 잘 보이지 않는다. 책을 읽다가 쉼표인지 마침표인지 모호해서 갸웃거린다. 화장품 용기에 적힌 글자는 개미가 써놓은 글자처럼 보이지 않는다. 대여섯 살 어린 후배가 샴푸 용기에 쓰인 화학 성분이 안 보인다고 한탄하길래 "언니는 샴푸인지 컨디셔너인지도 잘 안 보인단다"라고 말했더니 미안하다며 으하하 웃는다.

결심하고 돋보기를 맞췄지만 시력이 좋았던 나는 눈 옆으로 안경테가 걸쳐 보여 거슬리고 안경이 자꾸 코 아래로 흐른다. 이래저래 곤란하다. 하지만 늘어가는 주름만 셀 수 없듯이 무심히 지나치기도 하면서 내 몸의 속도를 자연스럽게 받아들기로 했다.

흔히 인생은 동전의 양면과도 같다고 한다. 지금의 행복이 영원하지 않고, 지금의 불행도 끝이 있다고 여유를 부릴 줄 아는 나이가 되었다. 셰익스피어도 "사람의 일에는 밀물과 썰물이 있다"고 했다. 밀물이 오면 곧 썰물이 되어 물러날 것을 이제 경험으로 안다. 그런 삶의 리듬 안에서 기록한 이야기를 나누려 한다.

단단하지만 고집스럽지 않은 중년으로 행복하게 살아가는 길을 함께 모색하고 싶다. 어떤 일이든지 모든 일에는 밝은 면과 어두운 면이 함께 있으니 말이다. 우리는 다시 새로운 출발선에 서 있다. 자신만의 속도와 리듬으로 뛰어가기 위해 숨을 고르는 우리 모두를 응원한다.

책이 나오기까지 험난한 퇴고의 산을 함께 넘어준 이한나 대표, 언제나 내 글의 첫 독자가 되어주는 사랑하는 우리 가족, 계속 글을 쓸 수 있게 격려해주는 따뜻한 나의 친구들과 글모임 '감응하는 사람들', 은유 작가, 오마이뉴스 최은경 기자에게 감사의 마음을 전한다.

전윤정 드림

차례

CHAPTER 01

우리 보디 토크를 멈춰볼까요?

CHAPTER 02

고독할 수는 있어도 고립되지는 말아요

CHAPTER 03

여자는 55세부터 행복해진다

CHAPTER 01

우리 보디 토크를 멈춰볼까요?

흰머리를 받아들이는 마음

귀찮아서 내버려둔 게 아니라 내 흰머리를 마음으로 받아들인 결과라는 걸 보여주고 싶었어요.

- 나가이 미키코, 『고잉 그레이』 중에서

50대에 들어선 남편의 흰머리가 부쩍 늘었다. 염색을 권하자 남편은 생각해본 적도 없다는 듯이 말했다.

"염색은 무슨…… 이렇게 자연스럽게 나이 먹는 거지. 괜찮아."

"맞아. 흰머리가 나는 게 죄도 아니고. 나도 한 달에 한 번 해야 하는 뿌염(뿌리 염색) 너무 지겨워. 이제는 하지 말까 보다."

그리고 얼마 지나지 않아 남편과 나는 '중년의 중후함'은 잠시 미뤄두고 함께 염색했다.

지금 일본에서는 영어로 흰머리를 뜻하는 '그레이 헤어'가 유행이다. 염색을 멈추고 흰머리를 선택한 여성들의 사진과 사연이 담긴 책 『고잉 그레이』는 5만 부 이상 팔리며 인기를 끌었다. 저자들은 젊어 보이는 검은 머리 대신 자연스러움을 선택하자 삶이 변했다고 말한다. 독한 염색약으로 인한 부작용, 정기적으로 미용실에 가야 하는 스트레스에서 벗어났기 때문이다.

염색하지 않는 흰머리는 일본뿐 아니라 전 세계적 중년 여성의 관심사인 듯하다. 사진 공유 SNS 검색 창에 염색하지 않고 흰머리를 유지한다는 단어인 '고잉 그레이(#goinggray)'를 치니 24만 개가 넘는 사진이 뜬다. 대부분 여성의 흰머리 사진이다. 인종과 국경을 뛰어넘는 사람들이 '좋아요'를 누르며 공감을 표시했다. 그만큼 흰머리, 아니 실은 '나이 들어 보이는 외모'에 대해 여성이 스트레스를 많이 받고 있다는 반증이 아닐까?

호주의 여성학자 쉴라 제프리스는 책 『코르셋 : 여성다움과 여성 혐오』에서 섭식 장애, 성형 수술의 위험성뿐만 아니라 화장이나 제모, 염색, 파마처럼 일상적인 미용 관습 또한 여성에게 위험한 요소로 작용한다고 말한다. 여성의 미용 관습에 동원되는 화학 물질이 여성의 건강을 위협하고 있기 때문이었다.

2001년, 미국 남캘리포니아대학에서 발표한 연구 결과에 따르면 1,514명의 방광암 환자와 1,514명의 일반인을 조사한 결과, 염색을 한 달에 한 번, 1년 이상 하는 여성은 방광암에 걸릴 위험이 두 배 높았다고 한다. 한 달에 한 번 15년 이상 염색을 한 여성은 세 배 높았다. 대체로 수용성인 염색약 속 발암 물질들이 피부에 흡수되고 최종적으로 방광에 고여 있다가 배출되기에 방광 조직과 접촉해서 암이 유발된다고 한다.

흰머리가 신경 쓰일 때마다 습관적으로 하던 염색약이 이렇게 위험했다니 깜짝 놀랐다. 나 역시 염색할 때마다 두피가 따끔따끔하거나 눈이 시린 적이 많았다. '염색약은 원래 독한 것'이라고 안일하게 생각했다. 우리나라 염색약에도 거의 들어가 있는 PPD, 즉 파라페닐렌다이아민 성분 때문인데 심한 경우 두드러기나 진물, 호흡 곤란, 실명 위기까지 간다고 한다. 아무리 적게 들어 있어도 그런 유해 물질을 내 몸에 직접 바른다는 것이 무서워졌다. 또, 염색할 때 미용실에서 한 시간 넘게 보내는 시간과 5만 원의 적지 않은 비용, 흰머리 나는 시기에 맞춰 예약하고 머리를 관리하는 데 소모하는 에너지도 나를 지치게 한다.

쉴라 제프리스 역시 염색을 포함한 미용 관습이 여성들의 건강뿐 아니라 돈과 시간, 에너지를 빼앗는다고 강조한다. 이에 반해 남자나 화장을 피하는 여성은 다른 일에 시간과 돈, 창조적, 감정적 에너지를 쏟을 수 있다. 미용 관습은 여성의 일생에서 수년의 시간을 앗아가며, 그 재능을 활용해 꿈을 좇을 에너지를 거울 앞에서 소비하게 만든다. 많은 여성은 비현실적 아름다움에 가까워지려는 노력과 실패 속에서 육체적, 정신적 상처를 받는 것이다.

여기에 패션과 미용 산업이 얽힌 '패션-미용 복합체'가 교묘하게 끼어든다. 여성은 '패션-미용 복합체'에 의존하도록 길들여져 있다. 그들은 여성의 몸을 예찬하는 척하지만, 실제로는 여성이 스스로 어딘가 부족하다고 느끼도록 하는 것이 목적이다. 그래야 자기네 상품을 더 많이 팔 수 있기 때문이다.

나아가 '당신은 부족하지만 이 제품을 산다면 완벽해질 수 있다'는 결핍 광고는 우리를 자극한다. 일상화된 인터넷 쇼핑, SNS 등을 통해 우리의 관심과 약점은 더 쉽게 노출되고, 광고는 알고리즘을 기반으로 우리를 무차별 공격한다. 여성은 자신의 몸을 변화시키거나 그대로 유지하려면 '온갖 용감한 처치'가 필요하다고 생각하게 된다. 주름 방지 크림은 보톡스로, 보정 속옷은 지방 흡입으로 진화하며 아름다움을 강요한다.

'고잉 그레이', 나도 이제 염색을 하지 않기로 했다. 이제 화장이나 파마, 제모 등 자연스럽고 당연하다고 생각했던 미용 관습에서 하나씩 벗어나보려고 한다. 그 첫 번째가 염색이다. 나이 듦을 자연스럽게 받아들이고 당당해지기로 했다.

한 달이 가까워지니 하얀 머리가 송송 올라왔다. 나는 가르마 쪽에만 유난히 흰머리가 난다. 지금까지는 '벌써 염색할 때가 된 거야?' 하고 한숨부터 나왔는데, 생각을 달리 하니 새로 난 잔디처럼 귀엽게 보인다.

그렇지만 외출할 때는 머리띠로 넘기거나 반 묶음 머리를 해서 흰머리를 감추고 있다. 지저분해 보일까 봐, 나이 들어 보일까 봐, 머릿결이 푸석해 보일까 봐, 자기 관리를 안 한다고 할까 봐…… 아직은 망설여지는 것이다. 하지만 내가 나를 바라보는, 타인이 나를 바라보는 미용 관습의 거울은 이미 금이 가기 시작했다.

우리 보디 토크를 멈춰볼까요

거울은 생각보다 많은 것을 앗아간다.

- 러네이 엥겔른

나는 외꺼풀이다. 유치원 버스에 아이를 태우고 내리면서 동네 엄마들과 자주 마주치던 어느 날, 남편에게 흥분해서 말했다.

"우리 동네에서 '예쁘다' 하는 엄마들 말이야, 알고 보니까 다 쌍꺼풀 수술을 한 거더라. 나도 할래!"

남편은 껄껄 웃으며 말했다.

"너는 눈이 보석이야, 누가 보석에 칼을 대니?"

나는 감동했다. 어머, 순정 만화 주인공처럼 내 눈이 반짝반짝 보석같이 예쁘다는 건가. 남편의 말 한마디에 쌍꺼풀 수술하고 싶은 마음이 사라졌다가도, 예쁜 사람들을 보면 또 갈등이 생긴다.

'나도 수술하면 눈이 커질 수 있을 텐데. 하루라도 빨리 해야 하루라도 더 오래 예쁜 눈으로 살 수 있지 않을까?'

> "많은 동아시아 사람이 쌍꺼풀을 동경한다. 일시적으로 만들기 위해 눈꺼풀 위에 붙이는 테이프까지 있다. 대부분은 영구적인 쌍꺼풀을 만들기 위해 성형외과로 향한다. (……) 최근 몇 년간 한국은 성형 수술 비율이 가장 높은 나라가 됐다. 버스와 버스 정류장, 길거리 광고판 등 눈을 돌리는 곳곳에는 성형외과 광고를 볼 수 있다. 그리고 그런 광고에는 대부분 성형 수술 전후 비교 사진이 나온다. 그렇기 때문에 서울에 사는 여성의 5분의 1에서 3분의 1 정도가 성형 수술을 받았다는 사실은 전혀 놀랍지 않다."*

미국 노스웨스턴 심리학 교수인 러네이 엥겔른이 저서 『거울 앞에서 너무 많은 시간을 보냈다』에서 한국의 쌍꺼풀 수술을 콕 집어 말한 대목을 보고 깜짝 놀랐다. 나는 눈에 쌍꺼풀 테이프를 붙여본 적은 없지만 대학교에 입학하자마자 쌍꺼풀 수술을 권유받았다. 친구들은 나에게 '눈과 눈썹 사이가 멀어서 쌍꺼풀 수술을 하면 예뻐질 것'이라고 했다.

나는 강아지처럼 약간 처진 내 눈이 좋았지만, 화장을 시작하면서 내 눈에 불만이 생겼다. 눈두덩이 지방 때문에 아이섀도를 하면 더 부어 보였고, 아이라이너나 마스카라를 하면 판다처럼 까맣게 번졌다. 눈 화장을 하지 않았더니 얼굴이 밋밋해 보여서 속상하기까지 했다. 게다가 방학이 끝나고 쌍꺼풀 수술로 눈이 커져서 오는 친구들을 볼 때마다 고민에 빠졌다.

얼마 전만 해도 성형 수술 받은 것을 쉬쉬하고 숨기는 분위기였다. 친구들은 자고 났더니 어느 날 쌍꺼풀이 생겼다느니(자연 발생형), 쌍꺼풀을 만드는 테이프를 많이 붙였더

---

* 139쪽, 『거울 앞에서 너무 많은 시간을 보냈다』, 러네이 엥겔른, 웅진지식하우스, 2017.

니 정말 생겼다느니(후천적 노력형), 속눈썹이 찔러서 안과에서 어쩔 수 없이 했다느니(질병 치료형), 엄마가 수술 날짜를 잡아서 끌려가 했다느니(강제 수술형) 묻지도 않은 변명을 하곤 했다. 인상이 세련되게 변한 친구들을 보며 부러워하던 나의 성형 욕구를 단번에 꺾은 것은 친정어머니의 한마디였다.

"수술했다가 더 이상해지면 어떡해?"

하지만 유명한 뚜쟁이가 먼저 받아본다는 졸업 앨범을 펼쳤을 때, 쌍꺼풀이 있어서 눈매가 시원하고 서글서글하게 나온 친구들을 보며, 쌍꺼풀 수술을 할 걸 그랬다며 다시 후회했다.

러네이 엥겔른은 한국의 쌍꺼풀 수술 열풍이 서구화된 백인의 아름다움을 미의 기준으로 삼는 문화 때문이며, 한국뿐 아니라 전 세계 여성이 '외모 강박'에 시달리고 있다고 말한다. '외모 강박'이란 능력보다는 외모에만 초점을 맞추는 사회 분위기 때문에, 여성이 자신의 외모에 불만을 품고 끊임없이 신경 쓰면서 살아가는 것이다. 그녀가 인터뷰를 위해 만난 여성들의 상당수가 '오늘 집 밖에 나가기엔 너무

못생겨 보여서' 외출하지 않고, 화장하지 않거나 옷을 잘 차려입지 않은 날엔 온종일 주눅이 든다고 했다. 머리로는 내면의 아름다움이 중요하다고 생각하지만, SNS에 올릴 완벽한 셀카를 위해 어플로 사진을 보정한다고도 고백했다.

우리 사회에는 여전히 여성의 가장 중요한 임무는 아름다움이라고 강요하고, 여성의 인격과 감정은 무시한 채 외모에만 초점을 맞추고 더 나아가서 상품이나 물건으로 취급하는 성적 대상화 문화가 존재한다. 여성은 그러한 시선을 거울삼아 그릇된 문화를 내면화한다. 그 결과 스스로를 대상화하여 자기 자신을 평가받는 대상으로 바라보며 평가하게 된다.

자기 안팎의 시선들이 만들어낸 외모 강박은 여성을 '거울'에서 멀어질 수 없게 만든다. 거울이 제시하는 '예쁜 얼굴과 말랐지만 풍만한 몸매'는 우울증과 자기혐오를 일으키며 여성의 시간과 돈, 에너지를 빼앗아간다. 그 결과 여성의 재능과 열정은 사회를 바꾸고 세상을 발전시키는 데 쓰는 대신 거울 앞에서 소비되고 소멸한다. 몸무게, 피부, 옷, 머릿결을 걱정하느라 너무 많은 시간을 쏟는 것이다.

다른 사람과 나누는 대화에서도 외모에 관한 대화인 보디 토크(body talk)가 일상화되어 있다. 보디 토크는 여성이 항상 외모에 대해 걱정해야 하고 자신의 몸을 싫어하는 것이 '평범한' 일이라는 메시지를 준다.

흔히 친구에게 반가움과 친밀감의 표시로 서로의 외모를 칭찬하곤 한다.

"예뻐졌네."

"살 빠졌어?"

"피부 좋아졌다."

이런 보디 토크가 일상화가 되면, 누구를 만나러 나갈 때 외모에 신경을 쓸 수밖에 없다. 딸들도 중고등학교 때, 외모에 관한 이야기가 흔한 아침 인사였다고 한다.

"오늘 이마에 뭐가 났네."

"너 오늘 앞머리 드라이가 잘됐네."

나이가 들면 올드 토크, 즉 노화에 따르는 외모 변화를 걱정하는 대화가 늘어난다.

"나 팔뚝에 살찐 것 좀 봐."

"팔자 주름이 더 깊어졌어."

"기미는 어떡한담."

물론 '아직 괜찮아' 하는 친구의 말을 기대하면서. 건강의 가면을 쓴 다이어트나 운동에 관한 보디 토크도 흔하다.

"왜 이렇게 말랐어. 많이 좀 먹어."

"운동 좀 해. 건강을 위해서 빼야지."

무엇보다 잔인한 것은 가장 가까이서 부모가 자녀들에게 쏟아내는 보디 토크가 아닐까 싶다. 엄마는 딸을 세상에 자기 대신 내보이는 존재라고 생각해 끊임없이 외모 지적을 한다. 살을 빼라, 머리를 길러라, 화장을 해라, 다리를 붙이고 걸어라…… 나도 딸이 옷을 고르고 의견을 물어볼 때, 옷보다 몸에 대한 지적이 먼저 앞설 때가 있었다.

"너는 키가 작으니까 이런 옷은 안 어울려."

"너는 하체에 살이 있는 편이니까 치마보다……."

자기를 낳은 엄마가 있는 그대로 인정해주지 않으니 얼마나 상처가 됐을까, 자기 몸에 대해 부정적으로 생각하지는 않았을까 반성한다.

이제 올드 토크, 보디 토크를 멈춰야 한다. 외모에 관련된 이야기가 습관적으로 이어질 때, 용감하게 화제를 바꿔보자는 것이다. 외모보다 더 중요한 것이 세상에 훨씬 더 많기 때문이다. 어제 내가 산 화장품보다 내가 읽은 책에 대해 이야기해보자. 친구의 외모보다 다양한 매력에 대해 칭찬해보자. 나 또한 거울을 내면화한 '외모 강박'에서 조금씩 벗어나보자고 결심했다.

얼마 전, 나는 다시 쌍꺼풀 수술을 권유받았다.

'퇴행성 안검하수.'

나이가 들어 눈꺼풀이 자꾸 아래로 처지기 때문이었다. 성형외과에서는 대개 눈꺼풀 성형술과 동시에 눈꺼풀 교정술을 같이 한다고 한다. 지방만 제거하고 쌍꺼풀은 안 할 수 없을까 병원에 물어봤더니 "할 때 하시지 그래요? 나중에 더 후회하실 텐데요" 하며 쌍꺼풀 수술을 권했다. 쉰이 되어도 쌍꺼풀 수술 고민은 끝나지 않는구나 싶어 쓴웃음이 났다. 당장은 크게 불편하지 않아 시술을 미뤘다. 할머니가 됐을 때에도 나는 또 한 번 쌍꺼풀 수술을 권유받을지도 모르겠다.

이 이야기를 들은 친구들도 어떤 시술이든지 피부 탄력이 떨어지기 전에 하는 것이 좋다며 쌍꺼풀 수술을 하라고 했다. 며칠 집 밖에 못 나올 테니 다른 피부 시술도 하라고 부추기면서. 나는 친구들에게 친정어머니의 말을 돌려주며 보디 토크에 제동을 걸었다. 남편의 말도 함께 얹어서.

"이 나이에 더 이상해지면 어떡해? 게다가 내 눈은 보석이거든~."

내게 둘 중 하나만 남은 것

몸은 신성한 옷이다. 우리는 태어날 때부터 죽을 때까지 이 옷을 걸치게 된다. 이 옷을 걸치며 생명이 시작되고 이 옷을 벗는 순간 생명이 끝난다. 우리는 이 옷을 소중히 다루어야 한다.

- 마사 그레이엄

나는 흔히 콩팥이라고 하는 신장이 하나밖에 없다. 그 사실을 30대 후반에 우연히 알게 되었다. 눈병 후유증이 심해 혹시 내과적 문제인가 싶어 초음파 검사를 했다. 초음파 기계로 내 배를 이리저리 문지르면서 혼자 중얼거리던 의사의 목소리가 아직도 생생하다.

"어디 보자, 왼쪽이…… 안 보이네?"

신장을 하나만 가지고 태어나는 사람이 있다. 1,000명 중에 한 명 정도라니 적지 않은 수다. 하지만 증상이 없으면 대부분 신장이 한 개뿐인 것을 모르고 살다가, 나처럼 초음

파나 CT 촬영 등을 통해 우연히 알게 된다. 평생 모르고 지내는 사람도 많다. 남편은 친정아버지께 따님에게 신장이 하나밖에 없으니 애프터 서비스를 해달라고 우스갯소리를 했다. 아버지는 3년이 지났으니 보증 기간은 만료되었다고 역시 농으로 되돌려주었다.

신장이 하나라고 해서 일상생활에 큰 지장은 없다. 두 개의 신장이 100퍼센트 기능을 한다면 한 개의 신장이 75퍼센트 정도의 기능을 한다. 하나뿐인 오른쪽 신장은 혼자 열심히 일하니, 보통 신장 크기보다 1.5배 정도 더 큰 상태였다. 혼자서 1.5배 역할을 하는 내 신장이 기특하기도 하고 안쓰러워 평소 신장에 무리가 가지 않도록 신경 쓰고 있다. 음식은 되도록 싱겁게 먹으며 물을 자주 마시고 화장실도 자주 간다. 하지만 신장에 문제가 생길까 늘 걱정이다. 남들은 하나를 떼어내면 되지만, 나는 신장 이식을 받아야만 살 수 있는 상황이 올 수도 있으니까.

언젠가 나와 혈액형이 같은 작은딸에게 농담으로 물었다. "엄마는 신장이 하나라서 고장 나면 누군가에게 받아야 하는데 말이야. 넌 두 개니까 엄마 하나 줄래?"

아직 유치원생이던 아이는 진지한 표정으로 말했다. "언니한테는 물어봤어요?"

지난가을 신장 쪽에 간헐적으로 통증이 왔다. 겁이 났다. 신장내과에서는 다행히 이상이 없다고 했지만 원인이 모호해서 정형외과와 통증의학과를 전전하다가 산부인과에 갔다. 오른쪽 난소에 혹이 보인다고 했다.

의사는 혹의 크기는 작지만, 모양으로는 악성이 의심되니 일단 떼어내 정밀 검사를 하자고 했다. 난소암일 가능성은 10분의 1. 다들 괜찮을 거라고 했지만 심란한 마음에 잠이 오지 않았다. 한쪽 난소를 떼어내는 수술은 무사히 끝났다. 다행히 검사 결과도 암이 아닌 자궁내막증으로 나왔다. 난소의 혹이 요도에 가까워 신장 쪽이 아프게 느껴졌을 것이라면서.

그 이후, 하나밖에 남지 않은 난소를 위해 한동안 호르몬 주사를 맞아야 했다. 난소 양쪽이 번갈아 가며 월경을 해야 하는데, 하나 남은 난소가 혼자 매달 열심히 일하다가 마저 문제가 생길 수 있기 때문이었다. 인위적인 완경이었다. 나는 두 딸을 불러 말했다. 엄마에게 이런저런 갱년기 증상이 올 것인데, 신경이 예민해져서 갑자기 짜증을 낼지도 모르겠다고. 아이들은 깔깔 웃으며 입을 모아 말했다.

"그건 벌써 옛날에 시작된 것 같은데요?"

내게 있어 둘 중 하나 남은 것이 또 하나 있다. 내 몸 DNA의 반을 주신 어머니다. 사람은 생물학적 아버지와 어머니가 있어야 태어날 수 있으니까 누구나 아버지와 어머니란 존재가 있다. 9년 전 아버지가 돌아가시고 나에겐 어머니만 남았다. 올해 여든둘. 4년 전부터 어머니와 함께 살면서 어머니와 열심히 이야기를 나눈다. 사람의 일은 한 치 앞도 알 수 없어서 지금처럼 어머니가 맑은 정신으로 대화할 수 없는 날이 생각보다 일찍 올 수도 있으니까.

물론 어머니가 처음 하는 이야기처럼 말을 되풀이할 때 듣기 지루할 때도 있다. 하지만 늘 책과 신문을 가까이하는 어머니가 새로운 이야깃거리를 내놓을 때가 더 많으니, 또 그 얘기냐며 어물쩍 넘어가기 힘들다. 그러고 보니 어머니는 몸뿐만 아니라 책을 좋아하는 DNA도 물려주셨구나.

어머니는 1년 내내 김칫거리를 사서 온다. 나는 나에게 돌아오는 일거리가 싫어서 매번 타박한다. 하지만 어머니는 봄이니까 유채 김치가, 여름이니 오이소박이가 지금이 제일 맛있을 때라면서 다양한 김치를 담근다. 어머니의 김치는 항상 맛있다. 매우면 매운 대로 심심하면 심심한 대로 맛있다. 같이 식사하던 중에 연신 김치를 집어 먹는 나를 보며 어머니는 말한다.

"어이구, 그렇게 지청구를 해대더니 잘만 먹네!"

흘겨보면서도 흐뭇해한다. 나 역시 계면쩍게 대답한다.

"김치가 시어지면 맛없으니까, 열심히 먹는 거지 뭐."

얼마 전, 보험 회사에 청구한 자궁내막증 실비 보험료가 수술 입원비보다 많이 나왔다. 남편은 좋아하면서 말했다.

"이야~ 그렇다면 나머지 한쪽도?"

농담인 줄 알면서도 나는 절대 그럴 수 없다고 손사래를 쳤다. 둘 중 남은 하나! 둘에서 하나가 없어졌기에 남은 하나는 절대 잃고 싶지 않다. 우리는 당연하다고 여겼던 것이 사라졌을 때 그 소중함을 깨닫곤 한다. 다행히 한 쌍으로 받아 '두 개 중 하나'가 남았을 때 상실감보다 남은 하나에 더 잘하라는 유예 기간을 받은 것 같아 기쁘기도 하다. 둘을 모두 가지고 있는 사람들보다 나는 좀 더 섬세하고 예민하게 그 존재를 생각할 수 있으니까. 나는 내게 남은 하나를 더 아끼고 소중히 여길 것이다. 내 몸속에 둘 중 하나밖에 없는 신장, 난소 그리고 남은 혈육인 나의 어머니를.

노인들이 고백하는 비밀 중 하나는 70~80세가 되도록 우리는 변하지 않는다는 점이다. 당신의 몸은 변한다. 하지만 당신은 변하지 않는다.

- 도리스 레싱

오랜만에 꽃 시장에 갔다. 시장 안은 벌써 봄이었다. 노란 프리지어가 많았고, 갖가지 색깔의 튤립도 겹겹이 쌓여 있었다. 노란색에 주황색이 조금 섞인 망고 튤립과 하얀 튤립을 샀다. 봉오리 단면이 네모였다가 터지면 별 모양처럼 되는 분홍색 부바르디아와 헬레보루스라는 처음 보는 꽃도 샀다. 너무 많이 샀나 걱정했지만 집 안에 꽃잔치가 열린 듯 풍성해지자 그 마음도 금세 사그라들었다.

하지만 실내가 건조하고 더워서 그랬는지 일주일도 못 가 꽃이 시들기 시작했다.

'화무십일홍(花無十日紅)이라 하더니.'

열흘 가는 붉은 꽃은 없다는 말이 떠올랐다. '한번 번성한 것은 반드시 기운다'는 뜻이다. 만개했던 꽃도 반드시 지듯이 세상에 영원한 것은 없다. 영원한 권력도 영원한 젊음도 없다고 곱씹다 보니 나에게 찾아온 완경이 생각났다.

여성이 나이가 들어 배란이 멈추고 여성 호르몬이 감소해 월경을 하지 않는 상태를 지금까지는 폐경이라 했다. 하지만 나는 닫힌다, 막힌다는 부정적인 의미의 폐경(閉經) 대신 '월경을 완성, 완결했다'는 의미의 완경(完經)이란 단어를 쓰자는 운동에 찬성해 완경이라 부른다.

나는 오른쪽 난소를 떼어내는 수술을 한 후 호르몬 치료 때문에 일시적인 완경을 겪었다. 치료가 끝나고 다시 월경을 시작했지만 날짜가 불규칙했고, 점점 간격이 길어졌다. 정기 검진을 하러 산부인과에 갔다가 완경 검사를 부탁했다.

며칠 후 완경이라는 검사 결과 전화를 받았다. 홀가분하면서도 허전한 기분, 시원섭섭했다. 이제 월경을 하지 않아도 되니 시원하면서도 내 몸 안의 시계 중 하나가 멈춘 느낌이었다. 지금까지 1년 가까이 월경이 없다. 일반적으로도 1년 동안 월경이 없으면 완경으로 진단한다. 2018년 대한폐경학회가 발표한 우리나라 여성의 평균 폐경 나이가 만 49.3세라고 하니 이상할 것도 없었다.

갱년기 증상이 본격적으로 시작됐다. 평소 에어컨 바람을 좋아하지 않았는데, 올여름엔 열이 확확 올라 계속 에어컨을 켰다.

"혹시 나만 더운 거야?"

가족들에게 묻고 다녔다. 가족들이 덥다 하면 괜스레 안심이 되었다. 갱년기에는 체온 조절에 큰 역할을 하는 여성호르몬인 에스트로겐 수치가 급격히 떨어져 체온 조절 기능이 저하된다. 체온이 조금만 올라가도 화끈거리고, 체온이 조금만 떨어져도 추위를 더 많이 느끼게 된다.

오랜만에 대화를 시작한 대학 동창 단톡방에도 온통 갱년기 이야기였다. 더웠다 추웠다 해서 에어컨과 카디건을 끼고 산다고 했다. 얼굴이 화끈거리는 안면 홍조뿐 아니라 손등과 발등에만 열이 나기도 한다고 했다. 홍삼을 먹어라.

석류를 먹어라. 호르몬제를 먹어야 하는데, 부부 관계의 불편함은 어떡하면 좋으냐……. 아직도 만나면 얼굴이 옛날과 똑같다며 서로 호들갑을 떨지만 대화 내용은 원숙한 중년 부인의 수다다. 한 친구가 조용히 이모티콘으로 손을 들며 말했다.

"난 아직 정기적으로 하는데."

친구들은 자랑하는 거냐며 부러워했다. 매월 월경이 시작되면 생리통과 불편함으로 '벌써 또 돌아왔나?' 하고 괴로워하던 때가 엊그제 같은데 말이다.

수면 장애, 체중 증가, 피부 건조, 관절통, 요실금 등도 일반적인 갱년기 증세다. 나는 어느 한 증세가 심하지는 않지만 골고루 경험하고 있다.

지성 피부라 로션 하나로 평생 살아온 나도 이제 갈수록 피부가 건조해져 영양 크림을 꼭 바른다. 자다가 과도하게 땀을 흘려 한밤중에 일어나 옷을 갈아입고 자기도 했다. 기침이나 재채기할 때 소변이 새는 요실금은 특히 자연분만한 여성에게 많이 나타난다. 두 딸을 자연분만한 나 역시 취미로 하는 발레 수업 때 점프를 뛰다가 나도 모르게 찔끔

해 무척 당황한 적이 있다. 그때부터 적당히 눈치껏 높이 뛰지 않았다.

갱년기는 신체적 변화뿐만 아니라 정신적 변화도 가져온다. 감정 기복, 상실감, 우울감, 기억력과 집중력 장애로 인해 자신감이 떨어진다. 한 친구는 날씨에도 영향을 받아 비가 올 것 같은 흐린 날씨에는 몸이 아프고 기분까지 잠겨 온종일 누워 있는다고 했다.

갱년기는 극복해야 하는 증상으로 가득 찬 우울한 시기라는 부정적인 생각을 바꾸게 된 것은 플로리스트 친구가 해준 말 덕분이었다. 나는 꽃시장에 다녀온 이야기를 친구에게 하며 다루는 꽃이 시들거나 죽으면 속상하지 않느냐고 물었다. 친구는 꽃은 변하기 때문에 아름답다며, 꽃이 지는 과정을 지켜보는 것도 좋다고 했다. 시드는 것 역시 꽃의 일생 중 자연스러운 한 과정이기 때문에, 꽃이 시들고 다 떨어질 때까지 화병에서 빼지 않는다고 했다.

완경 역시 삶의 자연스러운 과정이다. 몸의 순리에 따른 통과 의례다. '여성성'이 사라진다는 상실감이나 '쇠약한 노년'으로 들어가고 있다는 조바심을 버려야겠다고 생각했다. 초등학교 6학년 때 초경을 시작해 임신과 출산, 모유 수유 4년을 뺀 33년 동안 약 400번이 넘는 월경을 무사히 치른 나를 칭찬하고 싶다. 최소 2,000일, 4만 8,000시간 동안 피를 흘린 나에게 수고했다고 어깨를 두드려주고 싶다.

미술 작가 홍이현숙은 '폐경 의례'라는 사진과 영상 시리즈 작품을 통해 '완경은 월경이 닫히는 폐경(閉經)이 아닌 경계를 허무는 의미의 폐경(廢境, 폐할폐 지경경)'으로 보았다. 그는 최근 DTC 아트센터 기획전 '시선 37.7°C' 인터뷰를 통해 이렇게 말했다.

"완경을 맞이한 여성들은 사회가 짊어준 삶의 짐을 내려놓아도 되지 않을까 생각합니다. 더 용감하게 박차고 나와 다른 삶을 살아봐도 되지 않을까요."

완경은 지금부터 솔직하고 자유롭게 살라는 몸의 아름다운 선언이 아닐까? 내 심연의 욕망에 충실할 수 있는 시간이 왔다. 나도 완경의 장점을 충분히 활용하려고 한다.

이제 운동이나 여행 날짜에 월경 일이 겹칠까 걱정하거나 날짜를 조절할 필요가 없다. 월경 때마다 찾아오는 감정 기복과 두통, 여드름, 부종 등 월경전증후군(PMS)으로 괴로워하지 않아도 된다.

딸도 모두 성인이 되었다. 엄마라는 돌봄 노동에서도 다소 느슨해질 수 있다. 보다 나에게 집중할 수 있는 시기가 된 것을 스스로 축복해본다. 딸들에게 초경 파티를 해주며 축하해주었듯이 완경을 맞은 친구들과 축하 파티를 하고 싶다. 신나게 떠들고 웃고 마시며 우리의 앞날을 이야기하고 싶다. 월경을 완주한 우리가 다시 한번 뛰어갈 새로운 트랙에 대해. 눈부신 시작을 위해.

소라 언니를 따라해 봐요

지금 행복하라.

진한 커피, 알맞게 구운 토스트,

황금 물결이 굽이치는 밀밭과

아름다운 석양, 당신에게 건네는 칭찬의 말.

- 마사 메리 마고

묵은 짐을 정리하는데 슈퍼모델 출신 방송인 이소라 씨의 〈슈퍼 다이어트 체조〉 비디오가 나왔다. 20여 년 전, 내가 SBS 〈생방송 한밤의 TV 연예〉 방송 작가였을 때 진행자 이소라 씨에게 받은 선물이었다.

당시 〈슈퍼 다이어트 체조〉 비디오는 빅히트를 쳤고 이소라 씨는 제작진에게 특급 호텔 뷔페로 멋지게 한턱을 냈다. 요즘 집에서 유튜브 운동 영상을 보고 따라서 운동하는 홈트레이닝, 일명 홈트가 유행이라는데, 1998년에 나온 이 비디오야말로 홈트의 원조, 홈트의 고전이 아닌가?

찾아보니 지금은 이소라 씨가 운영하는 유튜브 채널 '이소라잇(LeeSora it)'에서 운동을 따라 할 수 있었다. "아.하.하.하.하!" 웃음소리는 여전히 경쾌하다. 조곤조곤 이야기하다 갑자기 노래하거나, 뜬금없이 농담을 날리는 엉뚱한 매력도 그대로다. 그는 자신을 왕언니로 칭하며 운동, 바른 자세, 건강, 음식, 피부 관리, 패션, 취미 등을 알려주는 것뿐 아니라 삶에서 나온 지혜를 나눈다. 힘들다고 칭얼대도 항상 다독여주는 언니처럼 든든하다.

나는 이소라 씨가 전문가의 도움 없이 직접 촬영하고, 혼자 영상 편집을 해서 깜짝 놀랐다. 〈유튜브 나도 혼자 할 수 있다〉는 영상에서 그는 처음엔 자막 하나 달기도 힘들었지만 주위에 조언을 구하고 학원에 다니며 차근차근 터득해갔다고 고백한다.

"그동안 알지 못했던 세상, 나는 들어갈 수 없다고 생각했던 숫자와 암호로 가득 차 있는 세상의 문이 열리는 기분이었어요."

새로운 분야에 도전하고 성장해가는 모습이 멋졌다. 구

독자 10만 명이 넘은 인기 유튜버가 된 그는 "제가 할 수 있으면 여러분도 할 수 있어요!"라며 우리를 격려한다.

이소라 씨는 유튜브 동영상을 통해 "작은 습관이 오래 쌓이면 좋은 결과로 나타난다"고 자주 말한다. 바른 자세를 유지하려는 습관이 몸의 균형을, 얼굴에 로션 하나도 다림질하듯 꼼꼼히 펴 바르는 습관이 당장은 귀찮아도 변화를 가져온다고 하면서 정성껏 로션을 바르는 습관이 20년이 넘었다는 말에 옛 추억이 떠올랐다.

방송 작가들이 피부가 좋은 이소라 씨에게 피부 관리 비법을 물어봤다.

"세수할 때 찬물로 100번만 헹궈봐. 아.하.하.하.하."

다음 날 작가들을 만나 몇 번까지 헹궈봤는지 물어봤지만 30번을 넘긴 이가 없었다. 만약 그 습관을 지켰더라면 나도 이소라 씨처럼 좋은 피부를 가질 수 있었을까? 아.하.하.하.하!

버지니아 울프는 "시간이 자기도 모르는 사이에 한 사람의 얼굴을 바꿔놓듯이 습관은 인생의 얼굴을 점차적으로 바꿔놓는다"고 했다. 좋은 습관을 몸에 익히기 힘들지만 이미 밴 나쁜 습관을 고치기는 더 어렵다.

내가 고치고 싶은 습관은 미루기다. 눈앞에 다림질거리가 쌓여 있어도 '오늘 널어놓은 빨래가 마르면 한꺼번에 하지' 하며 미룬다. 또 잠깐 집 앞에 있는 은행에 다녀오면 되는데, '내일 약속이 있으니 나간 김에 하지 뭐' 하고 미루는 것이다. 그러다 일이 밀려 허둥지둥 급하게 처리하다 보면 실수를 하곤 한다. '해야 할 일 바로 하기'를 오늘부터 나의 습관으로 만들고 싶다. 미적거림을 걷어낸 하루하루가 쌓이면 태만한 내 인생의 얼굴도 바뀌게 되겠지.

이소라 씨는 40대에 들어서 나이 들었다는 사실에만 집중하다 보니 40대 초반의 삶을 즐기지 못했다며 아쉬워했다. 구독자에게도 조급해하지 말고 '지금 나이 즐기기'를 당부한다. 그는 시행착오를 겪었기에 지금 50대를 행복하게 보내고 있다고 했다. 평균 수명 100세 시대에 나이 50은 어린 나이라며, 유튜버가 된 이유도 "지금 적응하지 않으면 앞으로 올 시대에 들어갈 수 없다고 생각"했기 때문이라고 이야기한다.

조금 앞서 살아본 언니의 조언은 나이 듦을 두려워하는 구독자 동생들에게 자신감과 희망을 준다. 구독자들도 "이소라 씨는 60~70대도 멋있을 것 같다, 같이 가자"며 댓글로 응원한다.

흐르는 세월을 자연스럽게 받아들이는 이소라 씨의 삶의 태도는 피부 관리 편에서 맨 얼굴로 기미나 잡티를 그대로 보여줄 때 잘 드러난다. (물론 잘 가릴 수 있는 화장 비법도 소개한다.) 직접 찍은 영상을 편집할 때 2~3일이 족히 걸린다는 이소라 씨는 본인의 맨 얼굴을 이렇게 오래 본 적이 없었다고 한다. 방송에 나오는 모습은 늘 완벽하게 꾸민 모습이었으니까. 이 영상을 통해 지나온 세월을 되돌아볼 수 있게 됐다며 뷰티 콘텐츠라기보다 인생 이야기였다는 말에 나는 울컥했다.

나의 맨 얼굴은 뭘까 생각했다. 우리는 사회적 역할에 따른 가면(假面), 페르소나를 사용한다. 하지만 역할극에 몰두하다 보면 가면 속 맨 얼굴의 나를 잃어버릴 때가 있다. 때론 민낯을 마주하기가 겁 나서 무시하거나 외면할 때도 있다. 가면을 벗고 나를 들여다보자. 얼굴 주름 속에 새겨진 시간의 나이테를 사랑하고, 그동안 수고한 나를 보듬어 주고, 있는 그대로를 인정해주면 어떨까.

"언니, 외로움을 어떻게 견뎌야 할까요?"

이소라 씨는 라이브 방송에서 실시간으로 묻는 구독자의 질문에 우리는 긴 시간 외롭게 살아야 한다며, 좋아하는 것을 찾아서 시간을 쏟을 수 있는 '자신만의 취미 갖기'를 권한다. 이소라 씨는 피아노를 치며 자신만의 시간을 아름답게 가꾸고 있었다. 지금도 레슨을 받으며 차이콥스키의 〈사계〉 등 새로운 곡에 꾸준히 도전하는 모습이 인상적이었다. 인생에서 마지막까지 함께하는 것은 오직 자신뿐이다. 자신이 좋아하는 취미에 시간과 노력을 투자하는 것은 자신을 채우고, 인생을 풍부하게 만드는 일이다.

나의 취미였던 발레가 생각났다. 딸이 어렸을 때 다니던 발레 학원에 성인반이 생겼는데 스트레칭 위주라고 해서 가볍게 시작했다가 발레의 매력에 빠지고 말았다. 햇수로 5~6년이 넘어가도 나는 늘 초급반을 고집했다. 제일 빠른 오전 시간대가 좋아서, 쉬다가 다시 나왔으니까, 기본기를 탄탄히 다지는 것이 중요하니까…… 사실 핑계였다. 어려운 테크닉을 배우는 부담감이나 실력 있는 사람과 비교되는 두려움이 컸다. 발레를 위해 살을 빼고, 고통스럽게 몸을 늘리고, 작품 개인 교습을 받는 사람을 보면 '취미 생활을 뭐 그렇게까지……' 하며 빈정거렸다. 좋아한다면서도 시간과 노력을 쏟지 않는 대신 남을 깎아내리며 받는 위안이었다. 당연히 내 발레 실력은 같은 자리에서 맴돌았고, 마흔 중반이 넘어가 어영부영 발레를 그만두었다.

이제 다시 발레를 시작해야겠다. 취미로 발레를 하는 할머니로 늙고 싶다는 소망이 생겼다. 스튜디오를 퐁퐁 뛰어다니는 신나고 귀여운 할머니에 도전하고 싶다. 이소라 씨는 독립 영화를 만드는 것이 꿈이라는데, 나도 발레 〈호두까기 인형〉 중 크리스마스 파티에 초대받은 머리 하얀 꼬부랑 할머니로 무대에 서겠다는 꿈도 꾸어본다.

〈승풍파랑적저저(乘風破浪的姐姐)〉. 30세에서 52세까지 기존 연예인 30명이 걸그룹에 도전하는 중국판 〈프로듀스 101〉인 '승풍파랑의 언니들'은 출연자들의 솔직한 감정 표현과 당당한 태도로 중국에서 열풍을 일으켰다. 시청자들은 '30명의 언니들을 보니 나이 먹는 것이 두렵지 않다'며 열렬한 지지를 보냈다. 제목 '승풍파랑(乘風波浪)'은 '바람을 타고 가는 배처럼 물결을 헤치고 나아간다'라는 뜻이다. 인생 역시 세월이 만드는 크고 작은 파도를 넘으며 나아간다. 우리가 삶의 기준과 방향을 잃지 않으려면 나만의 돛을 달고 자신만의 노로 저어야 한다. 이소라 씨에게 돛과 노는 도전하는 용기와 좋은 습관이 아닐까 싶다.

나의 돛과 노는 무엇일까? 일단 이소라 씨가 권한 케일 야채 주스나 한 잔 마시면서 생각해봐야겠다.

외할머니 품에서는 소독약 냄새가 난다

나는 살고자 하는 생명들에 둘러싸인 살고자 하는 생명이다.

- 알베르트 슈바이처

외할머니 댁 마당에 들어서면 늘 미역국 냄새가 났다. 고소한 참기름에 볶은 미역이 보글보글 끓고 있는 미역국 냄새. 길고 새하얀 광목 기저귀 천이 휘장처럼 널려 있는 넓은 마당을 지나면 대청마루에는 커다란 불화(佛畵)가 걸려 있었다. 아기를 점지해주고 순산하게 해준다는 관세음보살, 이 그림은 어쩌면 외할머니의 자화상이었을지도 모르겠다. 나의 외할머니는 현생의 관세음보살, 아기를 받아주는 조산사, 산파였다.

해산한 산모가 매끼 먹는 미역국 냄새는 곧 외할머니 냄새였다. 병원이 귀했던 옛날에는 산파가 산모 집으로 가서 아기를 받아주거나, 산파가 운영하는 조산원에서 아기를 낳는 일이 많았다. 몸집이 작고 말랐지만, 손이 여물고 상황 판단이 빨랐다. 산모 배를 만져 역아*를 돌려놓았다. 돈 욕심으로 위험한 산모를 붙잡아두지 않고 바로바로 큰 병원으로 이송해 50년간 의료 사고가 한 번도 없었다. 어렵고 힘든 아기도 잘 받는다는 '용한 산파 선생님'으로 소문이 나서 조산원은 점점 번성했다.

모두가 가난했던 시절이라 정해진 비용을 제대로 내놓지 못하는 산모도 수두룩했다. 할머니는 그들이 퇴원할 때 오히려 천 기저귀 값을 따로 쥐여주었다. 가정 형편이 나아진 산모들이 출산비를 갚으러 오는 일도 왕왕 있었다. 때로는 아기를 낳은 뒤 밤에 몰래 도망가거나 아기만 놓고 가버리는 산모도 있었다. 외할머니는 그런 산모를 원망하지 않았다. 독실한 불교 신자였던 외할머니는 귀한 생명이 사고 없이 무사히 태어난 것만으로도 감사할 뿐이었다.

* 逆兒, 출산할 때 머리부터 나오는 정상의 경우와 달리 다리부터 나온 아이.

매해 3월 삼짇날이면 외할머니는 초등학생이었던 나를 데리고 한강에 방생을 하러 갔다. 어떤 해에는 거북이를, 어떤 해에는 물고기를 강에 놓아주었다.*

외할머니는 두 손을 모아 합장한 후 한참을 기도했다. 불교에서는 임신한 산모가 '만물의 목숨을 보호하는 마음'으로 방생을 하면 산모와 새 생명이 보호를 받는다고 한다. 할머니는 산모들을 대표해 생명을 살려 복을 짓는 마음으로 방생하신 것이 아닐까.

매일 『불자독송경』을 읽으며 아침을 시작하고, 하루를 정리하던 외할머니는 가끔 긴 숨과 함께 "나무아미타불 관세음보살"을 내뱉곤 했다. 산모가 마지막 힘을 주기 위해 소리를 지를 때도 외할머니는 추임새처럼 "나무아미타불 관세음보살"을 말했다.

"아이고, 나 죽는다아~."

"나무아미타불 관세음보살."

---

* 현재 한강 사업본부는 한강 생태계에 적합한 어종 59종에 한해서만 방생을 허가하고 있다.

"어이구, 난 못해! 난 모~옷~해!"

"나무아미타불 관세음보살."

한번은 독실한 기독교인 산모가 힘을 주며 조산원이 떠나갈 듯이 소리를 질렀다.

"아악, 주여! 주~여!"

연이어 낮게 깔리는 외할머니의 목소리.

"나무아미타불 관세음보살."

아멘이 아닌 나무아미타불이라니. 산모와 외할머니의 종교적 불협인 듯 화합인 듯 알쏭달쏭한 상황에 밖에 있던 사람들 모두 웃었던 기억이 난다.

외할머니댁 마루에는 커다란 약장이 있었고, 그래서 늘 약 냄새가 났다. 외할머니의 약장은 오래된 실험실처럼 약 이름을 스티커에 써 붙인 갈색 유리병 속 하얀 알약들로 가득했다. 내가 배가 아프다고 하면 외할머니는 '할미 손은 약손이다'라는 말 대신 약장에서 소화제를 꺼내 주었다. 일제강점기 시절 간호사였던 외할머니는 열이 나면 찬물에 적신 수건을 이마에 올리기 전에 먼저 온도계를 혀 밑에 넣었다. 외할머니 댁 곳곳에 진득하게 배어 있던 소독약 냄새만으로도 병이 낫는 기분이었다.

100평 한옥에 입원실로 쓰는 방만 스무 개가 넘는 외할머니 댁은 숨바꼭질하기 좋았다. 하지만 사촌들과 숨바꼭질할 때 산모가 아기를 낳는 분만실은 절대 들어가면 안 되는 금지 구역이었다. 위생 관리로 아무나 드나들 수 없었다.

하루는 금기를 어기고 분만실에 숨었다. 분만이 끝난 지 얼마 되지 않아 아직 정리가 덜 된 상태였다. 한쪽에 놓여 있는 의료 도구가 차갑게 느껴졌다. 반으로 뚝 잘려 나간 철제 분만 침대는 기이했고, 하얀 천으로 만든 가림막은 음산했다. 산모의 뒤처리를 하고 난 피 묻은 천에서 비릿한 냄새가 났다. 그리고 대야처럼 생긴 곳에 우묵하게 담겨 있던 푸른 핏빛의 태반. 나는 너무 놀라 소리를 지를 뻔했지만 숨바꼭질 때문에 참고 있었다. 처음 본 기괴한 풍경 속에서도 코를 찌르는 익숙한 소독약 냄새 때문에 오히려 안심이 되었다. 외할머니 댁 어디에서도 나는 냄새였으니까. 외할머니의 옷에서 늘 나던 냄새였으니까.

외할머니 방에서는 항상 달큼한 분유 냄새가 났다. 버튼을 누르면 뜨거운 물이 나오는 키 큰 보온병과 아기 얼굴이 그려진 분유 깡통이 쟁반에 놓여 있었다. 간호사 언니는 소독한 유리 젖병에 분유를 넣고, 보온병에서 따뜻한 물을 받아 우유를 만들었다. 간호사 언니가 나가면 나는 몰래 분유를 한 숟갈 떠 입에 털어 넣었다.

'아, 정말 맛있다!'

마른 입속, 혀끝으로 살살 녹여 먹는 가루 분유는 텁텁하면서도 단맛이 났다. 보통 우유의 밍밍함과는 비교할 수 없는 진한 맛이었다.

외할머니 모르게, 그것도 아기 것을 뺏어 먹는다는 죄의식이 들면서도 끊을 수 없었던 분유 훔쳐 먹기. 내가 기억하는 최초의 길티 플레저(guilty pleasure)다. 하면 안 된다는 것을 알면서도 즐거움을 느끼는 행동, 길티 플레저. 한편으로는 분유를 먹으면 나도 키가 조금 더 자라지 않을까 하는 막연한 기대감도 있었다. 지금 생각해보니 분유는 왜 간호사실이나 조리실이 아닌 외할머니 방에 있었을까. 아마도 나 같은 사람이 많아서 외할머니가 당신의 방에 둔 것이 아닐까 하는 엉뚱한 추리를 해본다.

외할머니는 실력 있고 인정 많은 산파로 동네 사람들에게 존경받았는데, 함께 시장에 가면 금방 눈으로 확인할 수 있었다. 외할머니는 시장 상인은 물론 장 보러 나온 사람과도 인사를 하느라 앞으로 한 걸음 내딛기도 힘들 정도였다.

"산파 선생님~ 선생님께서 아기를 잘 받아주신 덕분에 지난달에 돌잔치를 했어요."

채소가게 주인은 눈을 찡긋하며 콩나물을 한 움큼씩 더 넣어주었고, 어묵집 주인은 나를 보고 손녀냐며 방금 만든 어묵을 내 손에 쥐여주었다. 어묵은 따끈하고 쫄깃했다.

내가 결혼하고 첫 아이를 가졌을 때 산부인과에서는 태아가 거꾸로 앉아 있다고 했다. 병원에서는 출산 전까지 아기의 머리가 아래를 향하도록 해야 한다며 임산부 체조를 열심히 하라고 했다. 걱정된 친정어머니는 나를 데리고 외할머니 댁으로 갔다. 조산원을 폐업한 지 10년이 지났지만, 외할머니는 여전히 노련한 손놀림으로 내 배를 만지며 말했다.

"괜찮다, 괜찮아. 자기가 알아서 자리를 잘 잡으려고 하는

구나."

배 속에 있는 아기의 위치를 찾으며 마사지하듯이 꾹꾹 누르시는 외할머니 손에서 어느새 고소한 미역국 냄새가, 알싸한 소독약 냄새가, 달큼한 분유 냄새가 살아나는 듯했다. 그리고 손녀인 나와 그 손녀의 딸인 배 속의 아기를 깊이 염려하고 사랑하는 외할머니 마음의 냄새도.

친정어머니는 외할머니처럼 산파가 되고 싶었지만 외할머니는 끝까지 반대했다고 한다. 기차 사고로 다리가 불편한 남편 대신 집안을 책임지기 위해 조산사 자격증과 왕진 가방 하나로 시작된 외로운 산파의 삶을, 아기가 언제 나올지 몰라 진통하는 산모 옆에서 선잠을 자야 했던 고단한 산파의 삶을, 예고 없이 닥치는 생명의 위급함을 다루는 긴장 가득한 산파의 삶을 물려주고 싶지 않았을 것이다.

할머니가 손으로 만져서 돌려준 나의 아기는 정말 자리를 잘 잡았다. 첫 출산답지 않게 진통도 네 시간 정도로 짧아 병원에서 놀랄 정도였다. 내가 아기를 낳고 얼마 지나지 않아 외할머니는 치매가 시작되었고, 3년 뒤 돌아가셨다. 평생 산파로 살아온 외할머니의 마지막 진료 환자는 당신의 손으로 직접 받아준 손녀, 나였다.

아니, 어쩌면 내가 아닌 내 배 속의 딸이 아니었을까? 할머니가 손수 받지는 않았지만, 귀를 대어 태동을 확인하고 자리를 잘 잡도록 도와준 마지막 아기였을 테니까. 내 딸이 성년이 된 지금도 문득문득 아기를 품은 동그란 내 배를 부드럽게 만져주시던 외할머니의 따뜻한 손길이 생각난다. 그 손에 희미하게 배어 있던 외할머니의 냄새도.

스스로 치유하고 감싸는 진주처럼

진주는 항상 적절합니다.

-재클린 케네디

친정어머니께 나비 브로치를 선물받았다. 외할머니가 친정어머니에게 주었던 브로치를 내게 물려준 것이라 의미가 더 깊었다. 나비 날개가 레이스처럼 곱고 정교했다. 고전적인 디자인에 순금이라 보기보다 묵직했다. 보석 디자이너인 후배에게 보여주었더니 나비 배 밑부분에 금빛 진주를 하나 달아주었다. 그러자 한결 가볍고 세련된 느낌이 났다. 게다가 진주는 내가 제일 좋아하는 보석이다.

진주는 우아하지만 자칫 나이가 들어 보일까 피하는 사람도 있지만 나는 20대 시절에도 모조 진주가 달린 액세서리나 옷, 가방 등을 좋아했다. 진주 장신구를 하면 울 일이 많아진다는 속설도 신경 쓰지 않았다. 고대 로마인은 진주를 '조개의 눈물'이라 불렀고 유럽 옛이야기에는 진주가 '인어의 눈물'로 자주 등장한다. 우리나라에서도 진주가 눈물을 상징해 예물 목록에서 빼기도 한다. 눈물이 많은 편인 나는 내 눈물이 진주라 생각하니 오히려 좋았다. 나이가 들수록 진주가 더 끌린다. 진주 귀고리를 하면 부드럽고 영롱한 진주의 빛으로 안색이 밝아 보이는 듯하다.

진주는 살아 있는 조개의 분비물에서 만들어진다. 조개는 물을 빨아들여 유기물을 걸러 먹고 불순물을 다시 내보내는데 가끔 몸 밖으로 내보내지 못한 찌꺼기가 조갯살 속까지 파고 들어간다. 조개는 약한 속살을 보호하기 위해 조개껍데기를 만드는 분비물로 이물질을 감싸 매끈하게 만든다. 이것이 바로 생명체에서 잉태된 보석, 진주다. 공해와 바다 오염으로 천연 진주는 거의 고갈되어, 요즘은 조개에 이물질(핵)을 넣어 인공적으로 키운 양식 진주를 사용한다. 진주를 양식할 때는 3년 정도 자란 조개를 고르는데, 이물질을 삽입하는 알주머니 절제 수술로 생긴 상처를 스스로 치유할 수 있어야 하기 때문이란다.

진주가 만들어지는 과정을 보니 20대에 있었던 일이 생각난다. 시청률의 압박과 정해진 출퇴근 시간 없이 늘 밤을 새다 보니 과다한 업무로 건강을 염려한 방송 작가 무리 예닐곱 명이 우르르 경동시장에 몰려간 날이었다.

누군가 그곳에 유명한 한약방이 있다며 몸보신을 위해 흑염소탕 한 제씩 지어 먹자고 했다. 시장 골목을 물어물어 찾아간 한약방의 주인은 나이가 지긋했는데, 인상이 좋고 목소리가 따뜻했다. 그는 한 사람씩 맥을 짚다가 한 선배 작가에게 말했다.

"화가 많이 쌓였구먼."

"……."

"남이 낸 상처는 피부 겉에 난 상처처럼 금방 낫지만, 자기가 안으로 낸 상처는 속병이라 곪아서 썩어요."

"……."

"눈에 보이는 외상은 다른 사람이 치료해줄 수 있지만, 마음속 내상은 자신만이 치유할 수 있다는 말입니다."

그 말을 들은 선배 작가는 눈물을 글썽거리며 꾹꾹 울음을 참다가 이내 꺼이꺼이 울기 시작했다. 옆에서도 하나둘씩 훌쩍거리더니 온통 눈물바다가 되었다.

그렇지. 남이 한 말 때문에 받은 상처도 힘들지만 자기 비하, 자기 부정, 자기혐오만큼 비참한 것도 없지. 우리는 한약 상자를 하나씩 손에 들고 나왔고, 작가실은 한동안 한약 냄새로 진동했다. 그리고 우리는 종교 체험 같았던 그날 이야기를 자주 했다. 상술이었다 해도 우리는 카타르시스를 느꼈고 지혜를 얻었으니 충분하다며 웃었다. 치열하게 살아가며 그렇게 우리는 진주 한 알을 얻었다.

진주조개를 통해 다시 '스스로 치유하는 힘'을 배운다. 첫 번째, '이물질을 잘 뱉어내기'. 남이 생각 없이 한 말이나 행동을 굳이 마음에 담을 필요가 없다. 마음에 걸린 말과 행동을 곱씹으며 자신을 몰아세우거나 오래 자책하지 말자. 상처는 계속 덧나고 곪아버리니까 말이다.

둘째, 혹시 마음에 남았다면 '나를 보호하기 위해 이물질을 감싸기'. 조개의 분비물은 심리학에서 말하는 방어기제에 해당하지 않을까? 방어기제는 두렵거나 불쾌한 상황에서 자신을 보호하기 위한 행동이다. 대체로 부정, 회피, 합리화, 유머, 승화 등의 행동으로 자신을 방어하는데, 적절한 기제 사용은 건강한 일상 생활을 하는 데 도움을 준다. 방어기제 사용은 자존감을 보호하기 위한 본능에 가깝다고 한다.

셋째, 각자의 방식으로 이물질을 단단하게 감싸자. 마음의 찌꺼기가 보석이 될 때까지 상처가 빨리 아물도록 나를 다독이자. 진주를 만드는 조개처럼 내 마음에 생긴 상처를 스스로 치유하고, 보석으로 만들어내는 힘을 길러야겠다고 다짐해본다. 그렇게 만들어진 진주가 모여 우리의 삶을 빛나게 할 테니.

최근 진주가 전 세계의 주목받고 있다. 미국 역사상 최초의 여성·아시아계 흑인 여성 부통령이 된 카멀라 해리스가 공식 석상에서 진주 목걸이와 진주 귀고리를 자주 착용하기 때문이다.

'파워 펄스(power pearls)'라고 불리는 그의 진주 사랑은 학창 시절로 거슬러 올라간다. 그는 하워드대학에 1908년 최초로 설립된 흑인 여학생 클럽 AKA(Alpha Kappa Alpha) 회원으로, 클럽 배지에는 세련미와 지혜를 나타내는 진주 스무 개가 박혀 있다. 대학 시절부터 꾸준히 진주를 가까이한 이야기가 있었기에, 카멀라 해리스의 진주는 단순히 외모를 꾸미는 보석 그 이상의 의미를 갖고 있었다.

20년 넘게 보석을 다룬 보석 디자이너 후배는 캐나다에서 유학할 때 만난 사람들을 잊지 못한다고 한다. 그들은 누구에게 받았는지, 무엇을 기념하기 위해서인지 또는 내가 어디서 어떤 이유로 샀는지 주얼리에 담긴 시간의 추억을 되새기며 즐거워한다고 한다. 우리도 보석을 부를 과시하는 사치품이 아니라 나만의 이야기가 담긴 아름다운 실용품으로 인식을 바꾸면 어떨까.

나에게 잘 어울리는 보석을 찾아보자. 인류가 '치유의 돌'로 보석을 가까이 두기 시작했듯이, 내 몸에 걸쳤을 때 기분 좋고 긍정적인 에너지를 주면 좋은 보석이 아닐까. 다이아몬드, 에메랄드, 루비같이 투명하고 색깔이 화려한 보석도 멋지다. 하지만 암석에서 채취해 원석을 깎아 만든 보석보다 상처를 딛고 스스로 생성한 보석인 진주가 나는 좋다.

오랜만에 보석함을 열었다. 시어머니께서 출산 축하 선물로 준 진주 목걸이가 있었다. 조개처럼 첫 아이를 품고 낳는 고통을 잘 참아냈다는 의미로 주신 듯해 기뻤다. 출산 후 1년이 지나고 돌잔치를 할 때 나는 진주 목걸이를 목에 걸 수 있었다. 처음 엄마가 되어 힘든 육아를 잘 해냈다고 받는 훈장처럼 진주 목걸이를 목에 걸 때의 촉감은 부드럽고 기분이 좋았다. 진주에는 건강과 장수의 의미도 담고 있다. 아이가 진주처럼 예쁘고 건강하게 자라주길 빌며 첫 생일 케이크 위의 초 하나를 셋이 함께 불었던 기억이 난다.

친정어머니께 받은 나비 브로치도 보석함 한 켠에 잘 넣었다. 보석함에 넣는 것은 보석이 아닌 이야기를 머금은 추억이구나. 내 딸들에게 진주를 물려줄 때는 이야기에 이야기가 더해지겠지. 빈자리가 더 많은 내 보석함이 오늘따라 꽉 차 보인다.

꽃을 꽂는 기쁨, 꽃이 주는 위로

나는 혼자 있는 것을 좋아하고
야외에 있는 것을 좋아하고
개와 함께 긴 산책을 하며
나무, 꽃, 하늘을 보는 것을 좋아합니다.

- 오드리 햅번

작년 겨울, 둘째 딸이 수능 수시에 응시한 여섯 개 학교에 모두 떨어졌다. 낙심한 아이는 풀이 죽어 방에서도 잘 나오지 않았다. 힘든 시간을 혼자 견뎌내는 것도 인생에 필요하리라 믿으며, 당분간 무엇을 하든지 참견하지 말자 싶었다. 며칠 지난 이른 아침, 아이의 방문이 열려 있어 조심스레 들어가 보니 아이가 없었다. 깜짝 놀라 전화를 했지만 받지 않았다. 갑자기 여러 가지 생각이 들었다.

'혹시 마음이 약해져서 나쁜 마음을 먹은 건 아니겠지?'

곧 전화가 왔다.

"엄마? 저, 친구랑 꽃시장 왔어요. 엄마 깰까 봐 그냥 나왔어요."

"놀랐잖아. 식탁에 메모라도 남겨두지. 그런데 꽃시장엔 왜 갔어?"

"꽃을 보면 마음이 나아질 것 같아서요."

"그랬구나. 거기 조화 파는 가게도 있거든. 간 김에 외할아버지 산소에 가져갈 꽃 좀 사 올래?"

아이와 전화를 끊고 나는 가슴을 쓸어내렸다. 짧은 5분 동안 별생각을 다 한 내 자신이 민망했다. 한편 생뚱맞게 새벽 꽃시장에 간 아이를 보니 잊고 있던 나의 스무 살 때가 생각났다.

대학교에 입학한 스무 살 3월, 학교 안은 각종 동아리 모집 광고로 가득했다. 오가는 길에 직접 나눠주는 동아리 전단도 여러 장 받았다. 전공 수업을 듣는 가정과학대 건물 입구에는 단과대 동아리 포스터가 붙어 있었다. '꽃꽃이 동아리'가 눈에 띄었다. 매주 교회 예배당에서 본 화려한 꽃 장식이 늘 아름다웠고, 과 선배들과 친해지면 자연스레 전공 공부에도 도움이 되리라 생각했다.

나는 친구 둘을 꾀어 동아리방에 들어갔다. 넓은 책상에는 싱싱한 장미가 가득 놓여 있었고, 선배들은 반갑게 맞아주었다. 조금 뒤에 곱게 한복을 차려입은 할머니 선생님이 들어오셨다. 온화한 미소를 머금은 그분은 나긋나긋한 목소리로 말했다.

"꽃봉오리같이 귀여운 신입생들이 새로 들어왔군요. 꽃도 우리처럼 얼굴이 있어요. 어디가 앞모습이고 어디가 옆모습일까요?"

그때는 몰랐다. 꽃의 얼굴 방향을. 그리고 그분이 대한민국 1호 플로리스트인 임화공 선생님임을. 일본어인 이케바나 대신 '꽃꽂이'라는 단어를 처음 만들어 썼고, 1950년대 말부터 영부인과 주한 외교대사 부인들에게 우리나라 꽃꽂이를 가르쳐온 분이라는 것도.

선생님의 시범이 끝나자 백자 화기 안에 침봉을 넣고 능숙하게 꽃을 꽂는 선배들이 우아하고 멋져 보였다. 신입생인 우리는 열심히 장미 가시를 제거했다. 선생님은 쓰고 남은 장미는 가져가도 좋다고 했다. 우리는 신이 나서 신문지에 둘둘 말아 나왔다. 그 뒤로 꽃꽂이 동아리에 서너 번 더 참석했지만 다른 동아리를 기웃거리느라 꽃꽂이와는 멀어지게 되었다.

6년 전 미국 여행을 갔을 때 워싱턴 D.C.에서 꽃집을 하는 친구를 만났다. 친구는 꽃을 예쁘게 꽂은 꽃병을 들고 우리가 묵는 호텔에 왔다.

130년 만의 추위라는 미국의 이상 기온 속 눈 폭풍을 헤치고 호텔 방으로 들어오면 친구의 꽃이 우리를 제일 먼저 반겨주었고, 은은한 꽃향기에 마음이 편안해졌다. 음악학을 전공한 친구는 미국으로 유학을 갔다가 그곳의 오래된 동네 꽃집을 이어받았다.

"아름답고 싱싱한 꽃에 둘러싸여 주인과 손님 모두 행복해하는 모습에 반했어!"

미국인들은 꽃 선물로 크고 작은 마음을 표현하고, 집안 대소사에도 꽃이 빠지지 않아 친구의 꽃집은 웃음이 끊이지 않는 동네 사랑방이 되었다. 친구는 나에게도 꽃꽂이를 권했다. 살아 있는 꽃을 만지면서 위로를 받고 꽃을 꽂을 때 스스로 아이디어를 내고 몰입하는 즐거움을 느끼길 바랐다.

그 후, 나는 동네 꽃꽂이 수업을 수소문해서 찾아갔다.

"저도 대학생 때 임화공 선생님의 '한 달 제자'였어요."

강사가 임화공 선생님의 제자라고 해서 깜짝 놀랐다. 이번엔 열심히 배우리라 생각했다. (임화공 선생님은 2018년에 돌아가셨는데, 당신의 장례식장에는 흰색 국화를 절대 쓰지 말라고 평소에 부탁하셨단다. 제자들은 수선화, 수국, 난 등 다양한 종류의 꽃과 나무로 빈소를 장식하고, 헌화도 분홍 카네이션을 썼다.)

우리나라 꽃꽂이는 나뭇가지를 많이 사용한다. 봄여름에는 산수유나 조팝나무 같은 꽃나무를, 가을에는 탱자나무나 감나무같이 열매 달린 나뭇가지를, 겨울에는 동백나무 가지 등을 사용해 계절감을 살린다. 무엇보다 선과 여백이 중요하기 때문에 나뭇가지의 선을 잘 사용해야 한다. 꽃꽂이 강사는 처음에는 무조건 디자인에 맞게 나뭇가지를 인위적으로 구부리거나 끊었다고 한다.

"지금은 나뭇가지가 생긴 형태대로 살리려고 노력해요.

자연스러울 때 가장 아름답다는 걸 이제 알았거든요."

나무의 잔가지도 지저분하다고 모두 잘라버리면 멋스러움이 사라지니 중요한 여백을 해치지 않는다면 최대한 살려보라고 조언했다.

그 말에 문득 '아이를 키우는 것도 그렇지 않을까?' 하는 생각이 들었다. 아이는 각자 타고난 천성과 개성을 지니고 있다. 부모가 자신이 옳다고 믿는 길로 억지로 휘고, 꺾는다고 하여 아이가 잘 자랄 수 있을까? 행복할 수 있을까?

아이가 스스로 가지를 뻗어가기를, 방향이 잘못되었다면 그 역시 스스로 깨닫기를 기다려주자고 다짐했다. 두 딸이 사춘기로 나와 부딪칠 때도 꽃꽃이의 나뭇가지를 생각하며 마음을 다스리곤 했다.

아이 마음의 가지가 잘못 뻗어간다 싶을 때도 당장 가위를 들고 잘라내고 싶었지만, 한숨을 고르고 기다려주면 다시 햇빛이 있는 방향으로 돌아오는 것을 여러 번 경험했다. 그 아이들이 커서 이제 스무 살이 되었다. 딸의 스무 살을 통해 나의 스무 살을 들여다보며, 나는 잠시나마 '또 한 번의 스무 살'이 되었다. 앞으로도 딸들이 나이를 먹어갈 때마다 그 시절의 나를 회상하겠지.

꽃시장에 갔던 둘째 딸은 크리스마스 꽃이라 알려진 빨간 포인세티아 화초를 사 왔다. 크리스마스 시즌을 앞두고 있어서 온통 크리스마스 분위기의 조화뿐이었단다. 묘지에 크리스마스 화초를? 그래, 어쩌면 어울릴지도 모르겠다. 친정어머니의 생신이 크리스마스이니 아내 생각하시라고 아버지 묘지에 꽂는 것도 의미가 있지 않을까. 잘했다 잘했다 하며 화병을 꺼내 일단 우리 집 식탁에 포인세티아를 장식했다.

CHAPTER 02

고독할 수는 있어도 고립되지는 말아요

언택트의 파도에 올라타보자

행동하지 않은 것에 대한 후회는 시간이 갈수록 커진다. 난 나쁜 운명, 좋은 운명 모조리 깨워가며 저벅저벅 당당하게 큰 걸음으로 걸으며 살 것이다.

– 장영희

온 세계가 예상치 못한 팬데믹을 겪으며 우리 일상에도 많은 변화의 파도가 밀려왔다. 가장 대표적인 것이 '언택트(Untact)'가 아닐까? 언택트는 '접촉하다'는 의미의 '컨택트(Contact)'에 부정의 의미인 접두사 'Un-'을 합성한 말로, 가급적 사람과 접촉하지 않는 '비대면'의 경향이나 행동 등을 말한다.

50대가 된 나는 일상에 들어온 '언택트'란 파도에 빠르게 올라타기가 쉽지 않았다. 얼마 전까지 배달 음식을 주문하는 어플을 쓰지 않았다. 독점 배달 어플 기업들의 수수료

논란을 보면서, 직접 가게로 전화 주문을 해야 소상공인에게 도움이 된다고 생각했기 때문이었다. 하루는 배달 메뉴 전단지를 찾고 있는 내가 답답했는지 아이들은 배달 앱으로 시키자고 성화였다. 주문은 생각보다 간단했고, 심지어 '문 앞에 놓고 벨만 눌러주세요'라는 요청도 적을 수 있었다. 손가락 몇 번 움직인 후, 한 시간도 되지 않아 내 눈앞에 턱 하니 놓인 따끈한 쌀국수를 보고 나도 모르게 내뱉었다.

"완벽한 언택트로구나!"

그 이후 자꾸만 배달 앱에 손이 간다. 음식점으로 전화해서 주소를 부를 때 아파트 동호수를 여러 번 확인할 필요가 없다. 음식 메뉴와 개수, 결제 방법 등을 말하는 과정에서 착오가 생길 일도 없고, 가끔 무뚝뚝한 사장님의 응대로 기분 나쁠 일도 없기 때문이다. 동네 소문난 빵집, 수제 요거트 집, 호젓한 동네 초밥집 이름이 배달 앱에 하나씩 등장하기 시작했다. 더 이상 줄을 서서 기다릴 필요가 없다.

오프라인 매장에서도 언택트는 대세다. 사람들은 앱으로 미리 커피를 주문하고 가게에 들러 가져간다. 대형 커피 전문점에서 시작한 사전 주문 앱은 패스트푸드 업계에도 빠르게 퍼지고 있다. 소비자가 직접 고른 다양한 조합으로 즉석에서 샌드위치를 만들어주는 것으로 유명한 패스트푸드 브랜드도 작년부터 앱 사전 주문 서비스를 실시해 반응이 좋다고 한다. 실제 이용해보니 천천히 고를 수 있어 좋았다. 고른 빵을 굽겠느냐 말겠느냐부터 시작해 치즈, 채소, 소스 등 즉석에서 예닐곱 가지 선택을 직원에게 바로바로 말해야 하는 부담감이 없다. 매장에서 착착착 주문하는 젊은 사람들과는 달리, 잠깐 고민하느라 머뭇거리면 주문을 기다리는 직원에게 미안하고 내 뒤에 기다리는 다른 고객도 신경 쓰였기 때문이었다. 일반 음식점이나 고속도로 식당에서도 무인 주문대를 통한 주문이 점점 익숙해지고 있다. 앞으로는 사람과 사람이 마주 보고 주문을 하고 주문받는 일은 점점 줄어들 것이다.

코로나 19로 인한 '사회적 거리 두기'는 사람들 간의 관계에도 '언택트'가 들어오게 했다. 내가 속한 독서 모임도 원격 화상 회의로 만난다. 처음에는 평소 화상 전화도 잘 사용하지 않는다는 회원들이 많아서 화면상으로 만나는 일을 어색해했다. 오디오를 켠 발표자는 사람들의 반응을 알 수 없으니 혼자 이야기하다가 뻘쭘한 분위기로 끝내곤 했다. 듣는 사람도 소리가 겹칠까 봐 바로바로 반응할 수 없어 답답했다. 대화의 공기까지 공유하기 힘들었기 때문이었다.

하지만 횟수가 늘어나면서 회원들은 오디오를 적당히 켜고 끄며 토론에 참여하고, 적절히 몸짓을 사용하기도 한다. 알겠다 또는 동의한다고 할 때 양손을 머리 위로 올려 동그라미를 만드는 식이다. 모임 장소에 오가는 시간을 아낄 수 있는 긍정적인 면도 있었다. 하지만 회의 방을 만드는 내 차례가 되자 또 한 번 언택트 산을 넘어야 했다.

구글 아이디로 접속하고 하라는 대로 따라갔는데 갑자기 "캘린더에 일정 세부 정보를 공개하시겠습니까?"라는 질문이 나와 당황했다.

'왜 내 스케줄을 천하에 공개하라는 거지? 누구든지 내 스케줄을 알게 된다는 건가? 혹시 비공개로 하면 회의가 개설되지 않는 건가?'

혼란스러웠다. 50대 회원 중에는 나처럼 당혹스러워한 경험이 있었다. 영어로 된 홈페이지에 들어가 헤매거나, 대학생 자녀에게 하나하나 물어보다 구박을 받기도 했단다. 하지만 그렇게 하나씩 배우면서 우리는 적응해갔다.

'언택트'는 사람 간의 관계뿐 아니라 물건에 대한 생각도 바꾸게 했다. 코로나 19 사회적 거리두기 단계에 따라 공공도서관이 자주 문을 닫았다. 일상 외출도 자제하니 눈으로 보고 책을 고르는 서점에도 발길이 뜸해졌다. 온라인 서점에서 책 주문을 하다가, 공간적 경제적 이유로 전자책 대여를 생각했다. 그러다 OTT*처럼 정액권을 끊고 무제한으로 대여할 수 있는 전자책 플랫폼을 알게 되었다.

처음엔 물성이 없는 전자책에 대한 거부감이 있었다. 하지만 책 뷰어를 나에게 맞게 설정하니 쉽게 적응되었다. 무엇보다 글자를 아주 크게 키워서 읽으니 속이 다 시원했다.

* 오버 더 톱(Over The Top), 인터넷을 통해 드라마나 영화 등의 다양한 미디어 콘텐츠를 제공하는 서비스.

노안이 와서 작은 활자를 읽기 힘들었기 때문이었다. 평소에 궁금했던 책을 부담 없이 펼쳐볼 수 있는 것도 좋았다. 모바일로도 연동이 되니 자투리 시간에도 쉽게 책을 읽는다. 필기구를 들고 밑줄을 그을 필요도 없다. 손가락으로 드래그만 하면 여러 색깔로 저장된다. 검색 기능도 있어서 내가 원하는 단어를 검색하면 해당 본문을 찾아준다.

전자책은 나이가 들수록 가볍고 단순하게 살자는 내 삶의 명제와도 잘 맞는 듯하다. 디지털카메라가 일반화되면서 인화된 사진을 담은 두꺼운 앨범이 사라지듯이 어쩌면 종이책도 점점 사라지는 것이 아닐까? 김초엽의 SF 단편소설 「관내분실」은 종이책이 모두 전산화된 가까운 미래, 도서관을 죽은 사람들의 기억을 보관하는 추모의 공간으로 묘사한다. 1950년대에는 TV 보급으로 영화관이 사라질 것이라고 걱정했고, 1980년대에는 비디오가 라디오를 죽인다고 노래했지만* 극장과 TV, 라디오 모두 공존한다. 종이책과 전자책도, 장소를 제약받지 않는 비대면 회의와 얼굴을

** 버글스, 〈Video Killed the Radio Star〉.

마주한 온기 있는 만남도, 주문 앱을 통한 편리한 배달 음식과 주방에서 막 만들어낸 식당 음식도 여전히 공존할 것이다.

그러나 많은 전문가들이 '언택트' 환경은 더 빠르게 진행되어 그 비중이 높아질 것으로 예측하고 있다. 강원대 김상균 교수는 책 『메타버스』에서 우리의 몸은 물질의 세상, 아날로그 지구에 있지만, 우리의 생활은 점점 더 디지털 세상인 메타버스(metaverse)로 이동하고 있다고 말한다. 메타버스는 스마트폰, 컴퓨터, 인터넷 등 디지털 미디어에 담긴 새로운 세상, 디지털화된 지구를 뜻한다.

종이 사전만 해도 그렇다. 30여 년 전, 중고등학생은 누구나 두꺼운 영어 사전을 들고 다녔다. 외운 페이지를 뜯어먹는 엽기적인 친구도 간혹 있었고 쉬는 시간에 주로 베개로 사용하는 친구도 있었다. 그 시절 학창 시절을 보낸 이들에겐 단어 하나를 찾기 위해 뒤적이느라 손때가 묻은 영어 사전의 추억이 있다. 하지만 요즘 아이들은 종이 사전 자체를 잘 모른다. 인터넷 포털 사이트에서 제공하는 사전 검색으로 진화되었기 때문이다. 단어가 아닌 문장을 통째로 번역기가 번역해주는 세상이다. 해외 여행에서 내가 하고 싶은 말을 번역기 앱을 사용해 스마트폰 자체를 그 나라 사람에게 내미는 일도 흔하다. 새삼 내가 디지털 지구인 메타버스 한가운데 있다는 생각이 들었다.

이렇듯 새로운 언택트 환경은 IT의 기술적 진화를 바탕으로 한다. 나이가 들수록 그 속도를 따라잡기는 쉽지 않겠지만, 언택트 문화에 소외되지 않기 위해서는 유연한 사고로 적응하는 것이 필요할 것이다. 대면은 인간적이고 비대면은 비인간적이라는 편향된 사고도 다양한 경험을 통해서 바뀔 수 있다. 아직은 문자보다 전화 통화로 목소리를 듣는 것이 좋고, 택시 앱보다 여전히 길에서 손을 흔들어 택시를 잡는 나조차도.

카·페·인 우울증 극복기

고독은 내 곁에 아무도 없을 때가 아니라 자신이 중요하게 여기는 것과 소통할 수 없을 때 찾아온다.

-칼 융

아이들이 초등학생 때, 나는 귀여운 캐릭터로 장식한 음식을 만들고 사진으로 찍어 SNS에 올렸다. 주위 엄마들의 반응이 폭발적이었다.

'아까워서 어떻게 먹어?'

'이런 엄마를 가진 아이들은 정말 좋겠다.'

'만들기 힘들 텐데 정성이 대단해!'

책으로 내라는 권유까지 받고 으쓱해졌다. 처음에는 맛도 있고 보기도 좋은 음식들이었는데, 점점 보기에만 그럴듯한 음식 사진이 늘어났다. 어느 날 스누피 얼굴로 만든

주먹밥을 올렸는데 '좋아요' 숫자가 잘 올라가지 않았다. 나는 슬쩍 게시물을 지웠다.

"오늘 아침에 올린 거 왜 지웠어?"

퇴근한 남편이 이렇게 물었을 때 나는 거짓말을 들킨 아이처럼 화들짝 놀랐다. 차마 저조한 '좋아요' 숫자 때문이라고 말할 수 없었다. 그제야 나는 처음 SNS를 시작할 때 가졌던 '나를 위해 기록하는 순수한 마음'은 없어지고 '남에게 보여주기 위한' SNS를 하고 있다는 걸 깨달았다.

나는 '아이들을 사랑하고 요리 잘하는 완벽한 주부'라는 타인의 평가를 받고 싶었던 걸까? 귀엽고 깔끔한 음식 사진 뒤에는 캐릭터를 만드느라 오리고 찍어내고 버려지는 음식 쓰레기가 있었다. 막상 먹을 때 아이들은 눅눅해진 김과 말라버린 노란 치즈를 떼고 먹었다. 나는 결국 SNS 계정을 탈퇴했다.

심리학에서는 '쾌락 적응 현상'으로 설명한다. 미국 캘리포니아대학 소냐 류보머스키 심리학 교수가 말하길 우리는 행복감을 높여주는 새로운 환경에도 곧 적응해, 금방 만

족감이 떨어지고 기쁨도 시들해진다고 한다. 그래서 점점 더 강도 높은 쾌락을 원하게 된다. 처음에는 '좋아요' 숫자가 열 개만 되어도 기뻤지만, 그다음에는 열다섯 개, 스무 개가 되어야 기쁨을 얻게 된다. 하물며 전보다 숫자가 떨어진다면 우울해질 수밖에 없다.

'좋아요'가 많으면 기분이 좋아지고, 관심을 끌지 못하면 우울해지는 SNS 우울증까지 생겼다. 사용자가 많은 SNS 서비스의 앞글자를 따서 만든 '카.페.인 우울증'*이다.

현실과는 상관없이 이상적인 모습만 보여주는 SNS의 자기 과시적 이미지는 기본적으로 타인의 시선을 기대한다. 자신이 보여주고 싶은 것만 노출한다고 생각하지만, 사실은 타인의 시선을 붙잡기 위해 노력하게 된다. 하지만 타인의 반응에 민감한 것은 무리를 이뤄 사는 인간의 본성이다.

SNS가 없던 1990년대, 심리학자 마크 리어리는 '사회성 계량기 이론(Sociometer theory)' 실험을 했다. 실험에 참여

---

* 카카오스토리, 페이스북, 인스타그램 등 SNS를 하며 느끼게 되는 부러움과 상대적 박탈감으로 생기는 우울증.

한 학생들은 제각기 독립된 방 안에 앉아 5분 동안 마이크에 대고 자신에 관해 이야기한다. 1분이 지날 때마다 앞에 놓인 화면에 숫자가 깜빡인다. 다른 사람들이 1점에서 7점까지 주는 점수이다. 사실은 일부에겐 계속 점수가 올라가도록, 일부에게는 계속 점수가 내려가도록 미리 조작한 숫자였다.

평소에 타인의 반응에 전혀 영향을 받지 않는다고 확언한 사람들까지도 점수가 내려가자 자신감이 점점 내려가는 모습을 보였다. 누구나 다른 사람들이 나를 어떻게 생각하는지 끊임없이 신경을 쓰면서 '사회성 계량기'로 측정하고 있다는 걸 증명한 것이다.

타인의 평가라는 신발을 벗어버리고 맨발로 다니는 용기는 쉽지 않다. 미국 심리학자 조너선 하이트도 저서 『바른 마음』을 통해 말한다.

> "수백만 년 동안 우리 조상은 소규모 집단에 들어가 그들의 신뢰를 얻느냐의 여부로 생존이 좌우되었다. (……) '사회성 계량기'를 통해 우리는 스스로가 인간

> 관계의 파트너로서 얼마나 가치가 있는지 끊임없이 평가한다는 것이다. 이 사회성 계량기의 바늘이 아래로 내려가면 삑 하고 경보음이 울리며 우리 행동에는 변화가 일어나게 된다."*

각자의 마음에만 있던 '사회성 계량기'가 이제는 SNS를 통해 측정, 비교하면서 사람들은 보이는 삶에 더욱 신경을 쓰게 되었다.

2019년, 전 세계에서 가장 인기 있는 SNS인 인스타그램은 한국의 인기 사용자들에 한해 '좋아요' 수를 숨기는 기능을 시범 운영하겠다고 밝혔다. 계정 소유자만 '좋아요'를 받은 구체적인 숫자가 보이고, 공개적으로는 '좋아요 ○○님 외 몇 명'으로 표시된다. 인스타그램 대표 애덤 모세리는 지난 5월부터 캐나다를 비롯해 여러 나라에서 이미 시범 운영했는데 반응이 좋았다며 "우리는 이용자들이 '좋아요' 수에 대해 걱정하는 걸 알고 있다, 타인의 반응보다 자기표

---

* 156쪽, 『바른 마음』, 조너선 하이트, 웅진지식하우스, 2014.

현에 집중할 수 있는 플랫폼이 되길 바란다"라고 말했다.

사람은 관계 속에서 살아가고, 타인의 반응을 무시할 수 없다. 하지만 타인의 시선을 의식하다 보면 나를 포장하게 된다. 진짜 나의 모습이 헷갈리기도 한다. 나는 '타인의 반응'에 민감해질 때마다 '당나귀를 메고 가는 아버지와 아들'이란 이솝 우화를 생각한다.

사람들은 당나귀와 나란히 걸어가던 아버지와 아들을 바보라고 놀린다. 아버지를 태우면 어린아이가 가엾다고 하고, 아들을 태우면 어른을 공경할 줄 모른다 하고, 둘이 같이 당나귀를 타고 가면 당나귀가 힘들어서 불쌍하다고 한다. 결국 아버지와 아들은 당나귀를 메고 간다.

타인의 반응이란 그런 것이다. 사람은 다른 사람에 대해 보이는 대로 함부로 말하기 쉽다. 그 사람의 사정이나 진실에는 관심도 없을 때가 더 많다. 그리고 금방 잊어버린다. '좋아요'의 관심이나 인기도 마찬가지다. '좋아요' 숫자가 당신이 멋지고 좋은 사람이라는 것을 말해주지 않는다.

하지만 여전히 SNS의 '좋아요'나 댓글 수가 신경 쓰인다고 해서 자책하지는 말자. 앞서 인용한 조너선 하이트의 말에 따르면 '타인에 반응하지 않는 사람은 오직 사이코패스뿐' 이니까!

아이는 길을 묻는 손님

사과는 나무에서 멀리 떨어지지 않는다.

- 핀란드 속담

나는 딸만 둘이다. 딸들은 커갈수록 나를 가장 가까운 곳에서 지켜봐준 친구가 된다고 하는데 부모로서, 특히 엄마로서 큰 행복이 아닐까 싶다. 나는 아이들과 대화할 때 마음 편하게 웃을 수 있고, 때때로 깊은 위로를 받는다.

대학생인 큰딸은 밝고 유머러스해서 친구도 많고 긍정적으로 자기 삶을 꾸려가고 있지만, 어릴 때는 또래보다 키도 작고 느려서 걱정이 많았다. 딸은 우리나라의 기이한 나이 셈법인 1월에 태어난 빠른 년생이다. 일부러 1년 늦게 초등학교에 입학한 아이들과는 거의 1년 차이가 나는 셈이다.

게다가 딸은 한글을 못 떼고 초등학교에 입학했다. 육아서에서 문자를 빨리 깨우치면 그림책을 볼 때 글자에 집중하느라 상상력이 줄어든다고 해서 일부러 한글을 가르치지 않았는데 결국 너무 늦어버린 것이다.

입학 첫날부터 아이가 알림장을 써야 했는데, 혼자 한글을 그리고 있는 것을 지켜보자니 마음이 무거웠다. 부랴부랴 한글과 수학을 가르치려는 급한 마음에 무리할 때도 많았다. 아이에게 화도 내고 다그치기도 해서 이제 와 생각하면 미안한 마음이 앞선다.

내가 조급했던 이유는 당시 살고 있던 춘천에서는 초등학교 1학년때부터 지필 시험이 있었기 때문이었다. 시험 성적이 좋지 않으면 아이의 자존감이 낮아질까 걱정되었다. 하지만 속마음은 내 아이는 공부를 잘했으면 하는 그릇된 욕심이 앞섰을 것이다. 아이의 첫 시험을 준비했을 때 기억이 지금도 생생하다. 나는 딸에게 열심히 시험공부를 시켰다. 과목은 바른생활.

"우리나라 국기 이름은 뭐야?"

"태극기."

"국기가 아니라 '극'기."

"왜요? 우리나라 국기인데."

"여기 빨강, 파랑 동그라미의 이름이 태극이라서 태'극'기야."

나는 '극' 자를 강조하고 또 강조했다. 다음 날, 시험을 치르고 집에 온 딸에게 물었다.

"태극기, 잘 썼어?"

"아니, 시험에 태극기 안 나오고 '동해물과~' 나왔어요."

"그랬어? 애국가라고 썼어?"

"(당시 유행어 말투로 주먹을 쥐며) 당연하지!"

아이는 입을 찢어가며 한 자 한 자 발음했다.

"애! 극! 가!"*

한글 이후로도 구구단과 시계 보기 등으로 안달복달했는데 이제 와 생각하면 왜 그리 초조했을까 싶다. 조금 느렸

---

* 이 에피소드는 '시험 체험, 극과 극'이란 제목으로《한겨레》'2010 나를 웃긴 독자 사연 콘테스트'에서 1위를 수상, 만화로 재구성되었다.

을 뿐인데. 초등학교 학습 내용은 시간이 지나면 대부분 해결되는데.

'3월의 바람과 4월 비로 5월의 꽃이 핀다'는 영국 속담이 있다. 우리 딸은 3월과 4월보다 조금 더 긴 시간이 필요했던 것일 텐데. 어쩌면 6월이나 7월에 피는 꽃이었을지도 모른다. 한 살 아기가 말문 트는 것이나 기저귀 떼는 것에 초조해하는 어린 엄마를 보면 때가 되면 다 한다고 다독거렸으면서, 나는 내 아이의 현재 발달 상황에 왜 그렇게 예민했었던 걸까. 사람은 참 어리석다.

얼마 전 큰딸이 구구단을 외울 때 아빠한테 맞았던 일이 상처로 남았다고 해서 깜짝 놀랐다. 우리 부부가 아이들에게 매를 든 것은 다섯 손가락으로 꼽을 정도이기 때문이다. 공부 때문에 매를 들었다는 것이 부끄럽기도 하고 미안하기도 했다. 한편으론 플라스틱 자로 손바닥 몇 대 맞은 것이 그렇게 나쁘게 기억할 일인가 싶어 나는 "너는 진짜 맞고 자란 애들을 못 봐서 그러는구나" 했다가 "맞고 자라는 것이 옳은 것은 아니잖아요?"라는 말을 듣고 아무 대꾸도

하지 못했다.

같은 일을 부모와 아이가 다른 무게로 기억할 수도 있다. 때론 부모가 정성을 쏟은 일을 아이는 기억 못 하기도 하고, 부모는 가볍게 지나간 일이지만 아이 마음엔 무거운 돌로 남기도 한다.

숫자를 좋아하지 않는 아이에게 이해도 안 되는 구구단을 외우라고 하니 얼마나 힘들었을까. 매를 든 상황 자체가 어린 딸에게는 큰 공포였을 것이다. 수학은 기초가 흔들리면 다음 단계로 못 가고, 앞으로 시험 성적은 수학으로 결정된다는 무리한 걱정 때문이었다. 수학을 못 하면 날 닮아서라고 할까 봐 예민하게 대했다고 진심으로 사과했다.

모처럼 온 가족이 모여 식사를 하다 요즘 유행이라는 MBTI 이야기가 나왔다. MBTI는 사람의 성격을 16가지 유형으로 나누는 성격유형 검사다. 본인의 성향이 외향적인지 또는 내향적인지, 분석적인지 공감적인지 등을 알 수 있다. 당시 수험생이었던 둘째 딸은 자신의 MBTI 성격유형대로라면 성적이 잘 나와야 하는데 나는 왜 이럴까 하고 한탄을 했다. 듣고 있던 남편이 말했다.

"수능 공부만 공부가 아니야. 앞으로 네가 좋아하는 분야를 찾아서 공부하게 되면 정말 잘할 수 있을 거야."

남편은 대학교 3학년 때 전공을 바꾼 자신의 이야기를 하며, 아이들에게 성급하게 자신의 진로를 결정하지 않아도 된다고 조언했다. 딸은 한결 마음이 가벼워진 듯 보였다.

아이는 길을 묻는 손님이라고 한다. 아이가 부모에게 전적으로 의지하고 머무는 시간은 아주 짧다. 아이는 세상에 펼쳐진 수많은 길을 향해 나아간다.

아이가 길을 물을 때 부모인 나는 그저 먼저 길을 떠났던 사람으로서 조언 정도는 해줄 수 있을 것이다. 내가 대답해준 길로 아이가 가지 않아도 그 뒷모습을 묵묵히 지켜봐주는 것, 때로는 아이가 돌아갈 때도 지름길을 알려주지 않고 참는 것, 이 길이 아니었다고 다시 돌아왔을 때 괜찮다고 다독여주는 것이 부모가 할 수 있는 전부가 아닐까 싶다.

그리고 나 역시 길을 잘못 들었을 때 아이의 권고를 겸허히 받아들이는 것. 그렇게 한다면 부모와 아이는 함께 성장해가리라.

어쩌다 웰시코기

행복은 포근한 강아지야!

-〈스누피〉 애니메이션 중에서

"임신했어요?"

"아니요, 원래 몸매가 이래요."

"아~."

"그리고 얘는 수컷이거든요!"

내가 반려견 '망고'를 데리고 공원 산책을 하다가 가끔 듣는 말이다. 망고는 다섯 살이 조금 넘은 웰시코기다. 몸은 긴데 다리는 짧고 목은 굵어서 뚱뚱하다고 또는 임신했다고 오해를 받는다. 여우같이 쫑긋 선 귀, 눈에 흰자가 많아서 감정 표현이 풍부해 보이고 입꼬리가 올라가 웃는 표정의 얼굴은 사랑스럽다. 영국 옛이야기 속 요정이 타고 다녔다는 하얀 털이 풍성한 목, 고양이 못지않게 두툼하고 귀여운 발, 그리고 꼬리는…… 없다.

꼬리가 없으니 통통한 엉덩이가 도드라지고 유난히 실룩대는 것처럼 보인다. 전체적인 털은 갈색인데 엉덩이가 하얘서 '식빵 엉덩이'로도 유명하다. 하지만 웰시코기는 원래 꼬리가 있는 종이다. 가축을 모는 목양견이었던 웰시코기는 소나 양의 발에 밟히지 않도록 꼬리를 잘랐다. 현재 많은 나라에서 꼬리 자르는 수술을 금지하고 있지만, 아직도 꼬리가 없어야 귀엽다는 이유로 대부분 생후 일주일 전후로 웰시코기의 꼬리를 자른다.

우리는 망고가 생후 1개월 됐을 때 데려왔는데, 이미 꼬리가 없었다. 망고는 다른 개들을 보면 모른 척하거나 멀찍이 돌아갈 때도 많은데, 망고의 부족한 사회성이 꼬리가 없기 때문이 아닐까 싶다. 개는 꼬리로 감정을 표현하기 때문이다. 기쁘고 반가울 때는 흔들고 무서울 때는 내린다. 개와 고양이가 소통이 힘든 것도 꼬리 사용이 서로 반대라서 그렇다고 하지 않는가. 사람으로 치면 말이 통하지 않는 외국인을 만났을 때의 느낌일까? 인간의 이기심 때문에 꼬리가 없는 망고에게 괜스레 미안해진다.

"이 강아지 영국 여왕이 기르는 개 맞죠?"

"네~."

"그럼, 아줌마도 여왕이네요."

망고를 데리고 산책을 하다 보면 이런 실없는 농담을 듣기도 한다. 웰시코기는 영국 왕실에서 기르는 개로도 유명하다. 영국 여왕 엘리자베스 2세는 신혼여행에도 반려견 웰시코기 '수잔'을 데리고 갔다. 개의 종 이름에서도 영국 태생임을 보여준다. 웰시코기의 웰시(Welsh)는 영국 웨일스 지방을 말하고, 코기(Corgi) 역시 '개'를 의미하는 웨일스어 'Corrci'에서 유래했다. 웨일스 지방은 대부분이 높은 지대라서 농업보다 목축업이 발달했기 때문에 영리한 목양견이 필요했다.

가축 발에 채이지 않도록 다리가 짧게 개량된 개가 웰시코기다. 소나 양 떼 사이를 빠르게 오가며 무리를 감싸고 유도했던 개였기에 다른 개들에 비해 활동량이 많다. 망고도 하루 한 번 꼭 공원 산책을 시키고 있다. 망고는 지치지 않는 체력으로 산책하고 와서도 바로 놀아달라고 공을 물고 와 사람이 힘에 부치기도 한다.

게다가 가축을 지키던 습성 때문에 책임감이 강한 편이다. 망고도 가족들이 큰 소리로 장난을 치면 싸우는 줄 알고 와서 말리는데, 양의 발목을 물듯이 우리 발목을 살짝 깨문다. 밤에 자기 전에는 양 우리를 감찰하는 것처럼 집 안을 살피며 쓱 한 바퀴 돈다. 가끔 나는 망고가 우리 가족을 자신이 지켜줘야 하는 양으로 생각하는 것이 아닐까 궁금하다.

"강아지 만져봐도 돼요?"

"네. 그런데 옷에 털이 많이 묻을 텐데요."

"괜찮아요."

망고를 만지고 난 사람은 자기 옷에 붙은 망고 털을 보고 깜짝 놀란다. 웰시코기는 털이 많이 빠지는 개로 유명하다. 털이 짧은 단모에 겉 털과 속 털로 이루어진 이중 모라 1년 365일 끊임없이 털이 빠진다. 봄가을 털갈이 기간에는 더 많이 빠진다. 빗어도 빗어도 계속 빠지는 망고 털을 빗고 있자면, 머리에 컨디셔너를 하고 언제까지 물로 헹궈내야 하지? 하는 느낌과 비슷하다. 웰시코기를 빗겨서 나온 털을 보고 강아지 한 마리가 더 있는 줄 알고 깜짝 놀랐다거나, 일주일간 털을 모아서 쿠션을 만들었다는 이야기가 있을 정도다. 웰시코기를 기르다 털 때문에 파양하거나 유기하는 경우도 많다. 개도 사람처럼 나이가 들수록 털이 더 많이 빠지기 때문이다.

망고 털 때문에 우리 집에는 유선, 무선, 로봇 청소기까지 청소기 세 대가 끊임없이 돌아가고 있다. 내 손엔 온종일 롤러 테이프가 들려 있다. 그래도 항상 망고 털이 여기저기 있고, 우리 옷에도 신발에도 항상 붙어 있다.

그래도 장점은 털이 자주 빠지기 때문에 개 냄새가 덜 난다는 것이다. 망고에게 개 냄새가 덜 나는 장점은 내겐 아주 큰 의미다. 예전의 나는 개를 좋아하지 않았고 개를 기르는 사람에게 나는 특유의 냄새가 싫었다. 수의사인 시동생이 반려견이 아이들 정서에 얼마나 좋은지 아무리 말해도, 아이들이 강아지를 기르고 싶다고 계속 졸라도 나는 늘 주저했었다. 그러다 시동생이 들려준 '아이들이 공부할 때

꼼짝도 안 하고 옆을 지키다가, 졸면 깨우면서 세 자매를 명문대에 보낸 강아지 이야기'에 꼴딱 넘어갔다. 시동생은 개 냄새가 적은 웰시코기를 추천했다.

망고가 우리 집에 오면서 내 생각도 변했다. 예전에 마트에 가면 '사람 먹을 걸 파는 곳에 웬 개 사료?'라고 했던 내가 '반려견 간식 종류가 왜 이렇게 적어?'라며 불평한다. SNS에 반려견 사진을 올리는 사람을 보면 주인 눈에나 예쁘지 싶었는데, 나의 SNS에는 이제 망고 사진뿐이다.

망고를 데리고 오기도 전에 이름을 무엇으로 지을지 고민하던 때가 생각난다. 호두, 감자, 보리, 자몽, 라테…… 많은 이름 후보 중에서 가족회의를 거쳐 발음이 동글동글 귀여운 망고로 결정했다. 언젠가 시동생에게 물은 적이 있다.

"특이한 반려견 이름도 많죠?"

"네. 드물게 육두문자를 붙이는 몹쓸 사람도 있어요."

옆에 있던 지인이 말했다.

"어머, 여섯 글자나요?"

지인이 한자의 뜻을 모르는 건가 순간 당황했지만, 위트 있는 말장난인가 싶어 모두 와하하 웃고 넘어갔다. 그저 재미있는 에피소드에 지나지 않았다. 하지만 꼬물꼬물한 낯선 강아지에게 망고라는 이름을 붙여주고, 하루에도 수십 번 이름을 부르면서 가끔 그 일이 생각났다. 이렇게 선한 눈망울을 가진 개에게 왜 그런 이름을 붙이지? 사람을 조건 없이 따르는 개에게 어떻게 그런 이름으로 부르지? 아무리 장난이라 해도, 개가 그 말뜻을 알지 못해도 말이다. 욕이란 대개 사람이 화가 치밀어 내뱉는 말인데, 부정적인 감정이 전해지지 않을까?

망고를 통해 개는 사람과 교감한다는 것을 알았다. 망고는 우리 가족이 기쁠 때 함께 기뻐하고, 우리가 슬플 때 와서 위로해준다. 케이크를 앞에 놓고 손뼉 치며 생일 노래를 부를 때면 자기도 주위를 빙글빙글 돌며 컹컹 짖는다. '파이팅'을 위해 가족들이 한 손을 한곳에 모으면 자기도 와서 한 발을 턱 하니 얹는다. 그런가 하면 딸이 시험에 떨어져 울고 있을 때 성큼성큼 걸어와 커다란 엉덩이를 아이에게 붙이고는 계속 옆에 있어주었다.

개와 사람의 교감은 함께한 시간이 말해준다. 개는 인간이 길들인 최초의 동물로 약 1만 5,000년 이전에 시작됐다고 알려져 있다. 인류학자 유발 하라리는 저서 『사피엔스』에서 사피엔스는 개를 집단 사냥이나 싸움, 외부 침입자에 대한 경비원으로 활용했지만, 시간이 흐르면서 유대 관계를 통해 서로 의사 소통이 잘되는 동료로 진화했다고 말한다. 인간의 필요와 감정을 잘 경청하는 개는 추가적인 보살핌과 먹을거리를 얻었으며, 동시에 개는 자신의 필요에 맞게 인간을 조종하는 법을 배웠다고 주장한다.

영국의 생물 인류학자 앨리스 로버츠도 사피엔스가 일방적으로 개를 길들인 것이 아닌 쌍방의 과정이었다고 밝혔다. 망고를 보아도 개는 자신이 원하는 바를 요구하며, 문제를 해결한다. 공놀이하고 싶을 때는 공을 가지고 와서 우리 앞에 내려놓고 발로 툭툭 친다. 야식이 먹고 싶을 때면 간식 인심이 후한 남편 주위를 돌며 간절한 눈빛을 보낸다. 동영상 플랫폼에는 '산책하자고 조르는 개' 영상이 특히 많다. 개가 문을 쳐다보며 낑낑대거나 가슴 줄을 물고 오면 대개 주인은 어쩔 수 없이 일어나 산책하러 나간다.

두 발로 걷는 인간과 네 발로 걷는 동물은 눈을 맞추며 서로를 길들여왔다. 인간은 영리하고 충성스러운 개를 가장 가까이 두었고, 개는 인간에게 조건 없는 우정과 사랑을 주며 머물렀다. 그렇게 서로 다른 두 종(種)이 비언어적 의사소통으로 수만 년의 세월을 교감해왔다. 개는 주인에게 크고 놀라운 것을 요구하지 않는다. 작고 소소한 것에 행복해할 뿐이다. 개는 자신을 포장하거나 꾸미지 않는다. 있는 그대로를 보여줄 뿐이다. 어쩌면 개는 인간에게 행복이란 무엇인지 가르쳐주기 위해, 나다운 모습으로 사는 것을 보여주기 위해 우리 곁에 있는 것은 아닐까?

웰시코기 특유의 붙임성과 애교가 많은 망고도 우리 가족 모두의 삶에 좋은 영향을 미쳤다. 아이들이 크면서 생기는 부모와의 거리감을 망고가 좁혀주었다. 사춘기인 딸들과 망고 얘기로 대화를 부드럽게 시작할 수 있었다. 아이들도 망고를 돌보면서 조건 없이 주는 사랑에 대해 알아간다.

집에 오면 언제나 제일 앞서 나아가 반갑게 맞아주는 망고 덕분에 남편은 중년의 허전함을 메워나가고, 친정어머니는 망고를 쓰다듬으며 노년의 부족한 스킨십을 채우고 있다. 망고가 아니었다면 중년 부부가 된 남편과 내가 나란히 손잡고 산책을 자주 했을까 싶다.

우리 가족의 공통 화제는 언제나 망고이며, 망고의 사소한 행동 하나 때문에 함께 웃는다. 망고의 맑은 눈을 들여다보면 한없이 평화로워진다. 무심히 쓰러져 자는 망고의 모습 또한 얼마나 평온한지. 사람 아닌 다른 생명과의 유대감에서 오는 새로운 사랑과 평안은 우리 가족에게 또 다른 행복을 주었다.

망고야, 고마워. 웰시코기, 고마워!

나의 평화로운 피난처, 독서 모임

내 친구는 완벽하지 않다. 사실 그건 나도 마찬가지다. 그래서 우리는 너무나 잘 맞는다.

- 알렉산더 포프

"누구에게나 많든 적든 타인들과의 관계가 필요하다면 이왕이면 그 관계가 자유롭고 대등할수록 좋을 것이다. 책을 매개로 한 모임이야말로 그 좋은 예가 아닐까. 이 험한 세상에 아직도 책이 좋아서 그걸 가지고 수다를 떨러 일부러 시간을 내서 남들을 만나러 오는 사람들의 모임이란 대관령 양떼 목장처럼 평화롭고 안전한 피난처다."*

* 70쪽, 『쾌락독서』, 문유석, 문학동네, 2018.

나는 2주에 한 번씩 '평화롭고 안전한 피난처'로 간다. 글쓰기 수업 동기 열다섯 명이 만든 모임 '감응하는 사람들'이다. 함께 책을 읽고, 말하고, 글 쓰는 우리 모임은 인용문 속 피난처의 두 가지 조건을 모두 만족한다.

첫 번째 조건, 책이 좋아 책 수다를 떨러 일부러 내는 시간. 우리는 투표로 미리 선정한 책을 읽어온다. 1800년대 흑인 노예 시대(토니 모리슨의 『빌러비드』)부터 기계 허파로 공기를 충전하는 미래(테드 창의 『숨』)까지 우리는 책 속에서 시공간을 초월해 자유롭게 거닌다. 장르소설, 에세이, 사회과학, 그래픽 노블, 르포 등 장르도 다양하다. 독서는 개인의 취향으로 편식하기 쉬운데, 다양한 사람이 책을 추천하고 함께 읽으니 골고루 먹을 수 있다.

읽은 책 안에서 감응한 부분을 낭독하고, 왜 나에게 의미있게 다가왔는지 이야기한다. 내가 무심히 지나친 부분을 감친(우리는 페이스북, 인스타그램 친구를 페친, 인친이라 부르듯 감친이라 부른다)이 짚어줄 때, 모래 속 잃어버린 동전을 찾은 것처럼 기쁘다. 책을 방금 덮고도 뭘 읽었더라, 싶을 때가 있다. '좋았다', '재미있었다' 같은 인상만 남을 때도 많다. 독서란 작가의 사유를 쉽게 얻는 만큼, 쉽게 잊어버리기 때문이다.

책을 함께 읽으면 다양한 관점을 통한 비판적 독서가 된다. 생각이 깊어지고, 더 오래 남는다. 우리는 책을 통해 질문하고 그 질문은 결국 나에게로 향한다. 때론 우리를 불편하게 만드는 질문에 혼란스럽고 힘들지만, 답을 찾아가며 우리는 한 뼘 더 넓게 세상을 보게 된다.

책 토론을 하다 보면 관련된 책 제목이 여기저기서 나온다. 연관된 영화나 팟캐스트도 꼬리에 꼬리를 문다. 우리는 열심히 메모하며 "다 언제 보지? 아, 바쁘다 바빠!"를 연발한다. 그러면서 또 한 번 크게 웃는다. '아직 안 읽었어? 이것도 몰라?' 하는 잘난 척이 아니다. '나는 참 좋았는데, 혹시 당신도~?' 하고 권유하는 분위기가 참 좋다.

물론 의견이 첨예하게 대립할 때도 있지만 누구도 자기 생각을 강요하거나 설득하지 않는다. 우리는 가르치러 온 것도 배우러 온 것도 아니다. 수다를 떨러 왔을 뿐. 그 수다가 책을 통과하고 우리 몸을 통과하며 지친 마음을 위로해주고 작은 힘을 얻게 된다는 것뿐. 그렇게 모임은 '평화로운 피난처'가 된다.

두 번째 조건, 그 관계가 자유롭고 대등하다. 우리는 서로 닉네임을 부른다. 정확한 나이는 모른다. 삶의 배경이 묻어 있는 글을 보고 세대를 대충 가늠할 뿐이다. 애들 놀이터에서 처음 만난 엄마들도 나이를 묻고 위아래를 확인하는 한국 특유의 언니, 동생 없는 대등한 관계다. 책동무, 글동무인 우리는 친구니까 서로의 글을 합평할 때도 자유롭다.

사실 얼굴을 맞댄 자리에서 각자 써온 글을 발표하고 소감을 말하는 합평은 껄끄러울 수 있다. 글쓴이는 긴장을 하고 떤다. 말하는 이도 자기의 감상이 잘못 전해질까 부담된다. 우리는 글쓴이의 삶을 판단하지 말고, 글만 이야기하기로 약속했다. 누군가 내 글을 정성껏 읽어주고 객관적으로 말해주는 것은 귀한 기회다. 부족한 부분을 지적하는 것이 아니라 함께 고민하는 시간에 가깝다. 한 살이라도 많은 내가 한마디라도 더 좋은 얘기를 해줘야 한다는 의무감도 없고, '열 살 어린 내가 말해봤자 뭘 안다고 하지 않을까?' 눈치 보는 일도 없다.

그런 안전한 울타리 안에서 우리는 자신의 이야기를 꺼낸다. 상처받은 가족 관계, 성적 수치심에 지우고 묻어두었던 기억, 홧김에 낸 사표와 어이없는 해고 통보, 성급한 욕심으로 망쳐버린 일상다반사……. 부끄럽고 숨기고 싶은 이야기를 자유롭게 쓴다.

우리가 가장 집중하는 글은 역시 사랑 이야기다. 아련한 첫사랑, 설렘 가득했던 연애 시절, 갈등과 화해로 점철된 부부 관계, 늘 갈팡질팡한 자식 사랑, 생각만 해도 가슴 먹먹한 부모님에 대한 사랑, 열병처럼 훅 찾아온 이상한 떨림. 사랑은 과거형이건 진행형이건 아름답고 눈부시며, 쓸쓸하고 아프다. 함께 공감하고 울고 웃으며 그렇게 '안전한 피난처'가 된다.

사람들 사이에 꽃이 필 때
무슨 꽃인들 어떠리
그 꽃이 뿜어내는 빛깔과 향내에 취해
절로 웃음 짓거나
저절로 노래하게 된다면

사람들 사이에 나비가 날 때
무슨 나비인들 어떠리
그 나비 춤추며 넘놀며 꿀을 빨 때
가슴에 맺힌 응어리
저절로 풀리게 된다면*

나의 고백 같은 최두석 시인의 시다. 모임 때마다 사람들 사이에 '말' 꽃이 피고 '글' 나비가 난다. 꽃이 피고 나비가 날 때 생겼던 감응들, 그 감응이 일으켰던 내 마음의 파장을 소중히 여긴다. 그 파장은 때론 도끼처럼 단단한 내 편견을 깨고, 때론 망치처럼 무심했던 내 생각을 툭툭 두드리며 메말랐던 내 마음을 호미처럼 뒤적여준다.

쾌락에는 동음이의어가 있다. 유쾌하고 즐겁다는 쾌락(快樂)과 남의 부탁을 흔쾌히 들어준다는 뜻의 쾌락(快諾)이다. 내 글을 읽어달라고 부탁했을 때 기꺼이 들어주는 것을 쾌락(快諾)의 글쓰기라 하고 싶다. 서로 꼼꼼히 읽어주고,

* 『사람들 사이에 꽃이 필 때』, 최두석, 문학과지성사, 1997.

근거를 더 물어주고, 문단을 함께 이리저리 배치해보고, 제목을 함께 고민하는 쾌락(快諾)의 시간. 글쓰기에 정답이 어딨겠는가. 함께 즐겁게 책을 읽는 쾌락 독서(快樂讀書)와 쾌락 작문(快諾作文)을 당신에게도 권하고 싶다. 각자 풀을 뜯던 양들이 한우리 안에 모이는 양떼 목장처럼, 평화롭고 안전한 피난처로 당신을 초대하고 싶다.

딸과 함께 명품 가방을 메라고요?

브랜드와 유통업체들은 부모들이 자녀에게 브랜드 취향을 넘겨주도록 만들기 위해 갖은 노력을 다하고 있다.

- 마틴 린드스트롬(브랜딩 전문가)

몇 년 전, 가족끼리 해외 여행을 가면서 공항 면세점에 들렀을 때 고등학생이었던 딸이 고가 화장품 브랜드를 많이 알고 있어 놀란 적이 있다. 화장품 블로그나 유튜브를 통해서 안 것도 있지만 학교에 화장품을 가지고 다니는 친구 때문에 알게 됐다고 했다.

특히 친구들은 샤넬, 디올같이 명품 브랜드에서 나오는 립스틱이나 립글로스 등을 많이 쓴다고 했는데 명품 브랜드가 있어 보이기 때문이라고 했다.

최근 명품 시장의 큰손으로 10대 청소년들이 부상했다는 신문 기사를 보았다. 디지털 콘텐츠에 익숙한 10대를 위해 명품 브랜드는 온라인 숍을 확대하고, 루이비통과 구찌는 디지털 게임을 내놨다. 명품을 구매한 10대들은 개인의 자유이고 개성의 표현이라고 말하지만, 전문가들은 또래에게 인정받거나 SNS에 올려 삶을 포장하고 과시하기 위한 목적이 크다고 진단한다.

명품을 사진으로 찍어 자랑하는 SNS나 유튜브에 자주 언급되는 단어인 플렉스*, 하울**, 언박싱*** 등에서 보듯 10대의 과시형 명품 소비는 자칫 또래 집단 내 위화감 조성, 따돌림 등 부작용을 우려하는 목소리가 적지 않다. 실제 같은 명품을 가진 친구끼리 몰려다니는 '명품팸'에 들어가기 위해 무리하게 아르바이트를 하거나 부모와 승강이를 벌인다는 뉴스도 종종 본다.

유행에 민감한 10대의 마음을 이해 못 하는 것은 아니다. 중고생 부모인 X세대도 당시 '메이커'라고 말하던 브랜드

---

* Flex, 힙합에서 유래된 사치품을 자랑하며 부를 과시하는 것.

** Haul, 매장에 있는 제품을 쓸어 담듯이 사는 것.

*** Unboxing, 구매한 제품 상자를 뜯어보는 것.

에 관심이 많았다. 교복 자율화 시대였던 1980년대 말, 고등학생이었던 남동생은 라코스테 양말에서 브랜드 로고인 악어 문양을 오려 내서 윗옷에 붙였다. "메이커가 그렇게 중요하냐"며 비웃었지만, 대학생이던 나 역시 당시 유행하던 게스 데님 가방이 부러웠다.

도서관 매점 벽에는 자리를 맡으려고 놓아둔 게스 가방을 가져간 사람은 자수하라는 벽보가 자주 붙었다. 영화 〈건축학개론〉에서도 1990년대 장면에서 남자 주인공이 게스(GUESS)가 아닌 제우스(GEUSS) 티셔츠를 입어 창피를 당하는 에피소드가 나온다.

우리 또래에서 명품이 대중화되었다고 느낀 것은 2000년대 중반, 학부모 모임에 갔을 때였다. 엄마들이 하나씩 메고 온 명품 가방은 백화점 쇼윈도 같았다. 명품 가방의 브랜드와 가격으로 그 집의 부를 가늠하는 듯한 느낌을 지울 수 없었다.

한번은 모임에 들고 온 가방이 가짜 같다는 소문이 본인의 귀에 들어가자 소문의 근원지를 역으로 물어물어 찾아

내 싸움이 벌어진 일도 있었다. 지금 생각해도 헛웃음이 나는 어이없는 일이었지만 당사자는 가방으로 뒷말이 많았으니 억울했을 것이다.

부모 세대의 명품 소비를 가까이에서 본 10대들의 명품 소비는 어쩌면 자연스럽고 당연한 결과가 아닐까. 아이들이 무엇을 보고 배우겠는가. 예민한 시기에 주목받고 싶고 다른 사람과 차별화하고 싶은 마음이 명품 소비로 왜곡되어 나타난 것이다. 10대들은 명품 브랜드 로고나 문양이 크게 보이는 걸 선호한다는 것과 무관하지 않다.

명품의 본고장 프랑스는 어떨까? 프랑스 리옹과 파리에서 10년 넘게 살다 온 지인에게 물었더니 웃으며 이렇게 답했다.

"프랑스 사람들이야말로 본인 수준에 맞지 않는 허영에 빠진 모습을 가장 우스꽝스럽게 생각하고 비판해요. 프랑스 사람들은 자신의 경제력을 과시하는 것을 천박하다고 생각하거든요. 명품 브랜드에서는 화려하고 세련된 프랑스의 이미지를 팔 뿐이죠."

그는 프랑스인의 사치품에 관한 반감이 프랑스 왕정과 베르사유궁에 관한 역사와도 관련이 있었다고 말해주었다. 태양왕이라 불리던 루이 14세는 키가 작고 왜소한 외모 콤플렉스 때문에 늘 화려한 옷을 입고 하이힐을 신었다. 주변을 따르는 귀족들 역시 왕과 왕비를 모방하면서 유행을 만들어냈다. 베르사유궁에 자주 출입하는 귀족은 다른 귀족보다 우월감을 느꼈고 이것이 또 권력이 되었다. 사치스러운 생활이 길어질수록 시민과 농민, 노동자는 힘들어졌고 그들은 결국 프랑스혁명으로 그들의 사치를 단죄했다. 지금까지도 프랑스인은 미국 문화에서 비롯된 명품, 아니 사치품에 깔린 과시욕과 편승 심리를 불편해한다. 지금도 프랑스의 부유층은 자신들의 부와 명예를 과시하는 것을 꺼리고, 감추는 것이 일반적이라고 한다.

나 또한 품질이 좋아서, 디자인이 독특해서, 색감이 고유해서 등 이런저런 이유를 대고 명품을 샀지만, 실은 다른 사람이 알아봐주길 바랐다. "나는 이 정도 가방을 들고 다닐 경제력이 있답니다, 나란 사람도 고급스러워 보이나요?" 하고.

몇 년 들고 다녀보니 이게 다 무슨 소용이랴 싶다. 예전엔 "명품 가방은 대를 물린다"며 구매를 합리화하곤 했다. 당연히 명품도 낡는다. 낡지 않았다면 아끼느라 자주 들지 않았기 때문일 것이다. 무엇보다 명품 브랜드는 수익 창출을 위해 끊임없이 유행을 만들어낸다. 디자인은 물론이고 브랜드 로고만 해도 크게 했다가 작게 했다가 때론 보이지 않게 감추는 것이 멋이라고 말한다. 유행이 지난 가방은 들기가 약간 난감해진다. 처분하려고 해도 비싼 가격을 생각하면 버릴 수도 없다.

옆에 있는 학부모가 어떤 가방을 들었나 눈여겨보고, 연예인이 입고 신은 명품이 얼마짜리인지 찾아보는 것도 철없던 한때였다. 해외 여행은 면세점에서 명품 가방을 살 수 있는 절호의 기회로 여기며 싸게 샀다고 좋아하던 속없는 시절도 있었다. 지금은 모임이 끝나고 돌아갈 때면 지인들이 들고 온 가방의 브랜드는커녕 어떤 옷을 입었는지도 기억나지 않는다. 이제 입고 걸친 브랜드보다 사람이 먼저 보인다.

하지만 가끔 명품 유혹에 빠지기도 한다. 얼마 전 50세 생일을 앞두고 남편이 뭔가 기념할 만한 선물을 사주겠다고 했다.

'그래, 특별한 날이니까!'

내 발걸음은 어느새 백화점 명품 매장으로 향했다. 매장 직원은 가방을 추천하며 "따님하고 같이 들기 좋은 스타일이에요"라며 권했다. 가격을 물어보는 순간 이 가격이면 최고 사양의 노트북을 살 수 있을 텐데 하는 생각이 들었다. 오래된 노트북 화면에 잔상이 생겨 불편을 느끼고 있었기 때문이었다. 결국 나는 50세 생일 선물로 노트북을 받았다. 지금 이 글도 새 노트북으로 쓰고 있다.

내가 명품 가방 대신 노트북을 선택한 것이 옳다거나 합리적이라고 말하고 싶지는 않다. 소비는 개인의 필요와 취향 문제이다. 다만 10대의 명품 구매는 경제적으로 독립하지 못한 미성년의 과소비이기 때문에 걱정스럽다. 또한 진정한 자기 개성의 표현이라기보다 '친구가 사니까 나도 하나쯤 살까', '좋아하는 아이돌이 입었으니까 나도 똑같이 입어야지' 하는 입고 싶고 갖고 싶은 동질감이 클 수 있기 때문이다.

하지만 이런 동조 역시 기성세대의 거울일 수 있다. 한 신문 기사에서 힘들게 번 돈을 명품 하나에 쏟아붓는 이유를 묻자 "하나를 사도 있어 보이는 것을 사고 싶다"는 10대의 인터뷰가 있었다. 기성세대가 영혼을 끌어모아, 일명 영끌해서 사는 '똘똘한 강남 아파트 한 채'와 겹쳐지는 것은 나의 지나친 망상이려나.

부동산에 관심을 두지 않은 결과인가

행복은 축복의 횟수가 아니라 행복을 대하는 우리의 태도다.

- 알렉산더 솔제니친

지난 봄 어느 토요일, 주로 집에 있는 친정어머니가 갑갑할 것 같아, 가까운 근교에 있는 아버지 묘소에 함께 다녀왔다. 사람이 붐빌 수 있는 한식(寒食)을 피해 다녀왔는데 미리 오길 잘했다고 생각했다. 집으로 돌아오는 강북강변도로 멀리 일산 킨텍스와 주위 고층 아파트가 보였다.

어머니가 물었다. "저기가 이번에 입주했다는 A네 집이지? 너도 부동산에 관심을 좀 가져봐. A는 집이 몇 채니. 너는 글 쓰는 것만 좋아하지 말고."

나는 화들짝 놀라 말했다. "어머나, 누가 들으면 내가 온종일 글만 쓰는 줄 알겠네. 엄마, 내 팔자에는 두 개가 없다고 생각하면 맘이 편해질 거예요. 하나는 아들이고, 하나는 집이야."

운전하던 남편이 말했다. "우리 아들 있는데, 망고."

우리 집 반려견 망고는 수컷이다.

나는 장난스럽게 말했다. "그렇게 치면 아들이 둘이네, 당신까지. 아니면 개가 두 마리던가."

남편은 개띠다.

6개월 뒤인 어느 일요일, 데칼코마니 같은 하루가 시작됐다. 친정어머니가 답답할 것 같아 가까운 근교에 있는 아버지 묘소에 함께 다녀왔다. 사람이 붐빌 수 있는 추석을 피해 미리 오길 잘했다고 생각했다. 집으로 돌아오는 강북강변도로 멀리 일산 킨텍스와 주위 고층 아파트가 보였다. 여기까지는 똑같았다.

남편은 가는 길에 친구 집 앞에 나를 내려주었다. 친구네 집은 50층 가까운 아파트에서도 고층이라 파란 가을 하늘과 흰 구름이 시원하게 보였다. 창밖의 습기 없는 가을바람까지 느껴지는 듯했다. 이런저런 이야기를 하다가 친구가 최근 이 아파트가 분양가의 두 배가 넘는 가격에 팔렸다고 했다. 그럼 대체 차익이 몇 억이야? 부동산에 관심을 두지 않은 대가가 이렇게 큰 건가? 갑자기 기분이 바닥으로 툭 떨어졌다. 집에 오는 버스 안에서 내내 우울했다.

다음 날 아침, 그림책 작가 김지연 씨의 SNS가 인용된 글을 봤다.

> "사람은 나서 죽음을 향해 달려가고 있지만, 중간중간에 반짝이는 것 때문에 살아간다. 나는 그게 그림이었다. 내 삶을 구현하기 위해 끊임없이 공부하고 훈련을 해야 하는 과정이어야 한다. 내가 원하는 발원이 무엇인지 계속 노력해야 한다."

이 글을 읽고 나는 우울한 마음을 다잡을 수 있었다. 나를 반짝이게 하는 발원은 재테크가 아닌 글쓰기다. 내 생각이 나만의 언어로 표현될 때 나는 반짝거린다. 그 글이 주위 사람들에게 가서 닿을 때, 매체에 내 글이 하나씩 기사화될 때 나의 반짝거림은 무엇과도 바꿀 수 없을 것이다.

나는 중년의 한가운데서 흔들리고 있는 나를 보았다. 그동안 내가 이뤄놓은 것은 무엇이지? 앞으로 어떻게 살아야 하지? 이런저런 생각에 혼란스러웠다. 복잡한 생각을 글로 쓰면 정리가 될까 싶어 은유 작가의 글쓰기 수업에 갔다.

합정동 작은 서점에는 고등학교를 막 졸업한 앳된 얼굴부터 50~60대까지 다양한 연령의 사람들 스물 몇 명이 앉아 있었다. 서로를 학인(學人)이라 부르며, 매주 세 시간 동안 책 토론과 글 합평을 했다.

나는 수업에서 학인들이 솔직하게 쓴 글을 읽고 충격을 받았다. 이혼이나 경제적 이유로 인한 가족 해체, 가족의 폭력이나 자살에서 온 트라우마, 가벼운 우울증부터 큰 수술을 감내해야 했던 병고(病苦), 장애인, 성 소수자 등 사회적 약자로 사는 삶……. 학인들은 다양한 고통과 슬픔을 솔직하면서도 담담하게 썼다. 개인의 삶을 넘어 사회의 아픔을 고민하는 글도 많았다.

나는 글쓰기 수업을 통해 '삶을 읽는 감각'을 배웠고, 지금도 무뎌지지 않도록 노력한다. 반복되는 일상 속에서 삶의 의미를 찾는 글을 쓰고 싶기 때문이었다. 보는 것, 듣는 것, 먹는 것, 말하는 것, 만지는 것 일상의 모든 오감을 열어 그물망을 짠다. 무심히 흘려보내던 일상이 그물망에 걸리도록. 오늘 아침 남편의 한마디가 왜 날 기운 나게 하는지 또는 화나게 하는지, 점심때 만난 친구와의 대화가 왜 즐거운지 또는 지루한지, 저녁에 있을 친척 모임이 왜 반가운지 또는 피하고 싶은지 나에게 말을 건다. 오늘 본 영화는 왜 날 웃게 하는지 또는 울게 하는지, 오늘 읽은 책 속 문장이 왜 내 마음을 흔드는지 또는 반감이 드는지 질문하며 나와 마주한다.

"나는 나 자신을 이해함으로써 다른 사람들을 이해하고 싶다"는 영국 소설가 캐서린 맨스필드의 말처럼, 나를 있는 그대로 인정하고 이해한 나는 타인의 감정과 입장을 조금 더 이해할 수 있지 않을까.

익숙했던 고정관념, 세월로 굳어진 고집, 좁은 경험에서 오는 성급한 일반화의 실을 끊고, 새로운 관점과 시각에서 풀려나온 실로 그물망을 더 촘촘히 짜본다. 지금까지 당연하던 것이 당연하지 않게 그물망에 걸린다. 내 삶을 읽는 감각은 세상을 읽는 힘으로 뻗어간다.

"난 '무쌍'이야."

무심히 말해놓고 그물망에 걸린 단어를 살핀다. 왜 외꺼풀이라고 하지 않고, '있어야 할 것이 없다'는 결핍의 단어를 사용했는지 의심해본다. 퀴즈쇼에서 "이번엔 이과분들께 유리한 문제죠" 할 때 문과, 이과를 가르는 일반 고등학교를 나오지 않은 이들을 떠올린다. '현금 없는 매장' 스타벅스에서 카드로 결제하며, 신용불량자나 개인 사정상 신용카드가 없는 사람들을 떠올린다. 의문을 품자 커피 한 잔 속 차별을 쓰고 싶어진다.

나에게 요즘 어떻게 지내냐는 지인들의 질문에 '글을 쓰고 있다'는 말이 아직 쉽게 나오지 않는다. 글을 구상하고 쓰는 시간은 만만치 않지만, 원고료는 터무니없이 적다. 그 시간에 증권이나 부동산 카페에 가입해 지식과 정보를 얻는 것이 득이 될지도 모른다.

하지만 나는 오늘도 돈이 되지 않는 책을 읽고, 사람들의 목소리를 들으려 애쓴다. 그리고 글을 쓴다. 나는 나를 알아가면서, 타인을 이해하고 세상을 조금 더 넓게 보는 '삶을 읽는 글쓰기'를 좋아하는 평범한 사람일 뿐이다. 하지만 지금이 내 생에 반짝이는 순간임을 의심하지 않는다.

슬픔을 토로하라, 그렇지 않으면

울음이 다 닳도록 조금씩
아주 조금씩
안녕을 연습하는 일.

- 박소란, 『나프탈렌』 중에서

아버지가 살아 계시던 몇 년 전, 나는 부모님과 딸 둘과 함께 남동생이 사는 뉴질랜드에 가서 한 달간 지냈다. 평소 검소가 몸에 배어 있던 아버지가 이번에는 조금 달랐다. 마트에서 장을 볼 때도 이것저것 여유 있게 담으라고 했고, 제철이지만 비싼 체리도 듬뿍 샀다. 농장에서 딴 블루베리로 정성껏 잼을 만들고, 동생네 마당에 있는 나무를 며칠 동안 보기 좋게 정리하고 다듬었다. 그러다 서울로 돌아가는 2~3일 전부터 아버지는 다리가 조금씩 저리다고 했다. 아버지는 지병이던 간경화가 진행돼 간암을 앓고 있었지만 몇 번의 시술로 컨디션이 괜찮아진 상태였다.

한국에 돌아온 후 병원에서 암이 뼈에 전이됐다는 진단을 받았다. 그렇게 아버지의 항암 방사선 치료가 시작됐다. 첫날은 밤에 자다 일어나서 한 시간 넘게 벌벌 떨었다고 했다. 나는 힘겨워하는 아버지 상황을 수화기를 통해 듣는 것만으로도 힘들었다. 항상 순리대로, 물 흐르는 듯이 살라고 나를 다독여주던 아버지. 10년 넘은 자동차를 바꾸라고 해도 "아직 잘 굴러~" 하면서 씩 웃기만 하던 아버지를 나는 아직 놓을 수가 없었다.

한두 달이 지나 아버지 생신날, 모처럼 아버지의 여섯 형제가 모두 모였다. 미국에 사는 막내 고모가 아버지를 만나러 왔기 때문이었다. 고모의 유대인 남자친구가 헤어지면서 내년에 또 만나자고 했다. 아버지는 "I hope so"라고 대답했다. 하지만 그 희망은 며칠 뒤 검사 결과로 산산이 부서졌다. 병원에서 항암 치료를 중단하자고 했다. 검사 결과와 비교해 아버지의 컨디션이 좋아 이상하다는 의견뿐이었다.

그 뒤로 아버지의 상태가 급격히 나빠졌다. 아버지는 쇠

약해지는 몸을 인식했지만 인정하지는 못했다. 언뜻언뜻 그 간극의 괴로움이 보였다. 지금까지 누구보다 하루하루를 성실하게 살아온 아버지였다. 초등학교 교사였던 아버지는 술을 좋아해서 늘 어머니의 잔소리를 들었지만, 평생 큰 소리 한 번 낸 적이 없었다. 나와 남동생은 오히려 아버지가 술을 마시고 오는 날이면 늘 주머니에서 꺼내 주던 구운 양념 돼지갈비를 기다리곤 했다. 중고등학교 때 성적으로 나를 나무란 적도 없었다. 다만 내가 원하는 대학의 입학 원서와 함께 서울교대 원서를 하나 더 사 왔을 뿐이었다. 딸이 당신과 같은 길을 갔으면 하는 바람을 그렇게 표현한 것이다.

교장 선생님으로 은퇴한 아버지는 손녀에게 더 각별했다. 아이들이 한글 공부를 할 때, 따라 쓸 수 있도록 손수 일일이 점선으로 글자를 만들어 한글 공책을 만들었다. 수영과 자전거 타는 법도 가르쳐주었다. 아이들이 초등학교에 입학해서는 일기장에 일일이 댓글을 달아주던 인자한 할아버지였다.

그런 아버지가 잠만 자는 시간이 점점 길어졌다. 병원에서 호스피스 병동 입원을 권했다. 아버지는 병원이 싫다고 했지만 신장이 많이 망가져 있었고 간 기능도 5퍼센트밖에 남아 있지 않았다. 그사이 가장 걱정하던 황달이 왔다. 간성 혼수 때문에 의식이 많이 흐려졌다. 간간이 의식이 맑아지면 아버지는 눈꺼풀을 힘겹게 뜨고 말하는데, 기력이 없어서 우리는 정확하게 알아듣지 못했다. 아버지가 떨어뜨려준 단어를 주워서 유추할 뿐이었다.

아버지 병실에 나 혼자 있던 날이었다. 나는 눈을 감고 있는 아버지 손을 잡고 말했다.

"아빠 사랑해. 정말 사랑해."

아버지가 "알아~" 하며 내 손을 꽉 쥐셨다. 그 음성이, 그 말투가 일상적이고 평온해서 내 가슴을 무너뜨렸다. 내가 좋은 차로 바꾸시라, 과일은 비싸도 좋은 거로 사드시라 이런저런 지청구를 해대면 아버지는 늘 웃으며 "알아, 알아~" 했다. 물론 바뀐 것은 없었다. 낡은 차를 탔고 싸고 못난 과일을 드셨다. 안다고 한 것은 그렇게 한다는 것이 아니라 내 마음을 안다는 것이겠지. 지금 이 순간에도 아버지는 내 마음을 알고 있을까? 떠나보내고 싶지 않은 내 마음을.

며칠 뒤, 아버지가 영원히 눈을 감았다. 비가 내리는 날이었다. 하늘도 아버지의 죽음을 애도하는 걸까. 나 대신 눈물을 흘려주는 걸까. 나는 울 수 없었기 때문이었다.

"네가 울면 안 돼, 엄마 마음이 약해지니까."

장례식장에 온 친척들은 내게 말했다. 그 말이 마음에 남아 나는 장례가 끝나고도 친정어머니 앞에서 한 번도 울지 않았다. 한동안 어머니는 식탁에 앉을 때마다 울먹였다. 평범한 반찬이었다. 반찬 한입에 아버지 이야기 한 번이었다.

"네 아빠가 새우젓 넣은 무나물 참 좋아했는데."

"조기는 비싸도 좀 큰 걸 구워줄걸."

급기야는 "이렇게 갈 줄 알았으면 그렇게 좋아하는 술, 실컷 먹으라고 할걸" 하는 말씀까지 해서 울컥했지만 나는 참고 또 참았다. 어머니와 식사할 때 나는 아버지 이야기를 먼저 꺼내지 않았고 술도 먹지 않았다. 술기운에 내 마음 깊은 곳에 쌓아둔 슬픔의 댐이 허물어져 눈물을 주체할 수 없을까 봐 겁이 났다.

어머니는 교회 사별자 모임에 나가 동병상련으로 많은 위안을 받고 신앙으로 조금씩 극복해갔다. 나 또한 일상으로 아버지의 흔적이 점점 옅어졌다.

다음 해 2월, 홍콩에 사는 친구에게 초대받아 혼자 공항버스에 올랐다. 다음 정거장에서 내 또래로 보이는 한 여성이 부모님으로 보이는 할아버지 할머니와 아이들을 데리고 함께 차에 올랐다. 공항에 도착하자 그 할아버지는 버스 짐칸에서 여행 가방을 내리면서 가족들에게 가벼운 잔소리를 했다. 돌아가신 아버지 생각이 났다. 꼭 1년 전, 남동생이 있는 뉴질랜드에 함께 갈 때 아버지가 어머니와 나, 손녀딸을 그렇게 데리고 갔었는데.

아버지 생각에 눈물이 한없이 흘러내렸다. 그럭저럭 잘 지냈다고 생각해왔는데, 생각지도 못한 풍경에 마음이 무너졌다. 울면서 짐 가방을 끌고 공항 화장실까지 어떻게 갔는지 지금도 생각이 나지 않는다. 화장실 한 칸에 들어가 웅크리고 앉아 꺼이꺼이 소리를 내며 목 놓아 울었다. 그동안 쌓였던 아버지에 대한 그리움이, 슬픔이 한꺼번에 터져버린 듯했다.

6개월이란 길지도 않은 간병 기간이었다. 간암 말기라 음식을 잘 못 넘기는 아버지를 위해 다양한 죽을 끓이면서도 매번 남는 죽을 보고 투덜대고, 두세 번밖에 크게 실수하지 않았던 아버지의 대소변을 처리할 때 야단법석을 떨며 청소를 했다. 얼마나 무안하셨을까. 의료보험이 되지 않는 비싼 약을 구했다고 생색을 내고, 몸을 움직여야 한다고 집 안에서라도 걸으시라고 아버지를 다그쳤다. 겨우 반년이었는데, 나는 왜 더 다정하게 아버지를 보살피지 못했나. 나는 왜 더 살갑게 아버지의 이야기를 들어주지 못했나. 아버지에게 잘못한 일만 생각나 가슴을 치게 했다. 그렇게 한참을 울었다.

셰익스피어는 『맥베스』에서 "슬픔을 토로하라, 그렇지 않으면 슬픔에 겨운 가슴은 미어져 찢어지고 말 테니"라고 했다. 나 역시 아버지의 죽음에 대한 슬픔을 눈물로 토로함으로써, 비로소 아버지의 죽음을 애도할 수 있게 되었다. 여행이 끝나고 집으로 온 나는 식탁에서 담담하게 아버지 이야기를 먼저 시작했다.

"아빠가 살아 계셨다면 더 뜨겁게 데워오라고 하셨을 거야. 여기엔 생양파를 좀 썰어오라고 하셨을 거고. 그렇지?"

그러면 어머니는 말한다.

"그러게. 불쌍한 영감, 조금만 더 먹고 가지."

이제 아버지는 내 깊은 곳 슬픔의 둑 안에 갇혀 있지 않다. 내 눈물과 함께 목구멍 바깥으로 나와 이제 오롯한 추억이 되었다. 길을 걷는 마른 노인의 뒷모습에도, 어디선가 훅 불어오는 싸구려 남자 향수에도, 반려견의 맑은 눈동자에서도 아버지를 본다. 그리고 아버지의 사심 없는 웃음을 떠올린다.

아버지가 돌아가신 지 9년이 다 되어간다. 한식 전에 이른 성묘를 하러 갔다. 지난 추석에 꽂았던 빨간 제라늄을 빼고, 하얀색 꽃 부케를 묘지 앞 석병에 꽂았다. 그리고 아버지가 좋아하던 뜨거운 커피와 계피 과자를 놓았다. 그렇게 나는 한참을 서 있었다.

'아빠가 또래보다 어리다고 늘 걱정하시던 큰아이가 얼마나 생각이 깊은 아이로 자랐는지 몰라요. 키가 작다고 걱정

하시던 둘째는 제 언니보다 더 크게 자랐어요.'

아버지에게 하고 싶은 이야기가 아직 너무 많았다. 그러나 못다 한 채로 이렇게 계속하여 쌓여만 갈 테지. 그런데 어디선가 아버지의 음성이 들려오는 듯했다.

"알아, 알아~ 일없다.* 아니까."

---

* 괜찮다는 뜻의 함경도 사투리. 부친의 고향이 함경도이다.

어머니와 나, 완벽한 조합

엄마는 나의 첫 번째 친구, 나의 가장 친한 친구,
나의 영원한 친구.

- 무명

친정어머니와 함께 사는 다섯 식구 모습이 꼭 우리 집 같은 일본 애니메이션 〈이웃집 야마다군〉을 재미있게 봤다. 특히 '완벽한 조합'이라는 짧은 에피소드가 인상적이었다.

"아, 오늘은 초밥이나 시켜 먹을까?"

마츠코 씨가 혼잣말인 양 말하지만 실은 친정어머니 시게 씨가 들으라고 한 소리였다.

"엥? 돈 아까워. 내가 만들어줄게."

마츠코 씨는 뒤돌아 "대성공"이라며 웃는다. 주방에 들어가 보니 친정어머니가 이제 초밥은 재미없다며 '비프 스트로가노프'라는(아마도 요리 프로그램을 보고 메모한) 처음 만드는 음식에 도전하겠다고 한다. 실망한 마츠코 씨는 조금 뒤 거실에서 한가롭게 신문을 읽고 있는 어머니를 보고 깜짝 놀란다. 그리고 어머니의 한마디.

"나 실패했어. 초밥 배달 시켜."

마츠코 씨와 내 모습이 겹쳐졌다. 중국 음식을 잘하는 친정어머니에게 "아, 오늘은 피곤한데 탕수육이나 시켜 먹을까?" 하면 어머니는 사 먹는 돈이 아깝다며 "야야, 고기에 전분 버무려서 튀기기만 하면 되는데 내가 할게" 한다. 나는 못 이기는 척 냉장고에서 돼지고기를 내놓는다. "야야, 새우 튀겨서 케첩 소스에 버무리기만 하면 되는데", "야야, 피망 썰고 고기만 볶으면 되는데" 등등. 그렇게 저녁 식탁에 깐쇼새우가, 고추 잡채가 한 접시 식탁에 올라온다.

하지만 친정어머니가 음식을 하는 횟수가 점점 줄어들고 있다. 무릎 관절이 닳고 서 있는 것이 힘에 부쳐, 음식 재료를 썰 때도 꼭 식탁에 앉아서 한다. 요즘 어머니가 눈에 띄게 노쇠해진 것을 실감한다. 완만한 내리막길이 아닌 계단을 툭툭 내려가는 것처럼 체력이 약해져간다.

같이 살기 시작한 첫해, 어머니는 동네 미용실에서 파마하는 날엔 가까운 시장에 들러 장을 봐왔다. 4년이 흐르고 약을 먹을 정도로 걷는 것이 불편해진 지금은 내가 미용실 문 앞까지 차로 모시고 갔다가 모시고 와야 한다. 하얗던 피부에 검버섯이 늘어가고, 꼿꼿한 등은 거북이처럼 구부러졌다.

청력도 그렇다. 노인성 난청으로 귀가 부쩍 들리지 않으니 당신도 주위 사람들도 불편하다. 때때로 어머니가 우리 말을 엉뚱하게 알아들어 배꼽을 잡고 웃기도 한다.

한여름 같았던 어느 봄날, 나는 반려견을 산책시키고 집에 들어오는 현관에서 말했다.

"아휴~ 더워."

"뭐라고 그러는 거야."

"더! 워!"

"병어?"

병어는 어머니가 특히 좋아하는 생선이다. 평소에 어머니는 당신이 잘 들리지 않으면, 쉬운 영어 단어로 확인차 되묻곤 한다. 바로 그날 저녁, 어머니가 볼 만한 TV 프로그램이 없다고 해서 OTT 플랫폼에서 영화를 함께 골랐다. 어머니가 좋아하는 영국 배우 휴 그랜트의 〈투 윅스 노티스〉를 추천했다.

"무슨 내용인데?"

"휴 그랜트가 재벌인데, 여자 주인공 변호사랑……."

"간호사?"

"아니, 변호사."

"너스(Nurse)?"

"로이어(lawyer)(갑자기 내 발음에 자신이 없어진다). 변! 화장실 갈 때 변! 변! 호! 사!"

어머니는 어이가 없다는 듯 말했다.

"얘가 왜 갑자기 소리는 지르고 그래."

나는 어머니께 조심스럽게 보청기를 권했다. 하지만 보청기를 한 친구가 너무 크게 들려서 어지럼증이 생겼다더라, 이비인후과에서 난 아직 괜찮다던데 하며 핑계를 댄다. 보청기에 대한 거부감이 큰 듯했다. 어쩌면 노화에 대한 거부감일지도 모른다. 나 역시 몇 해 전 안과에서 '노안' 진단을 받았을 때, 신체 노화를 실감하고 얼마나 상심했었나. 내가 최대한 크게 또박또박 말하는 수밖에. 그래서 나는 빨리 배가 고파지는 걸까?

식사를 할 때마다 왜 그리 밥을 빨리 먹느냐고 친정어머니에게 잔소리를 듣는다. 사실은 어머니가 말을 많이 해서 당신의 식사가 늦어지는 거다. 아무래도 식탁 머리에서 가장 많은 대화를 하게 된다. 반복되는 옛날이야기가 따분할 때도 있지만, 언제나 들어도 설레는 것은 어머니의 연애 이야기, 특히 첫사랑 이야기다.

어머니, 아니 풋풋한 20대 초반 인자 씨의 첫사랑은 끝도 없이 넓게 펼쳐진 여의도 비행장에서 시작된다. 우리나라 최초 비행장이었던 여의도 비행장은 1958년 공항이 김포로 옮겨지면서 공군기지로만 사용되었다. 1960년대 초, 인자 씨의 큰 고모부는 공군 군목이고 작은 고모부는 비행사여서, 일요일이면 고모들과 여의도 공군 군인교회에 예배를 보러 갔다. 어느 날, 키 크고 잘생긴 비행사 A 중위를 소개받았다. 인자 씨의 어머니는 비행사는 위험한 직업이라며 심하게 반대했다. 하지만 인자 씨는 두툼한 솜이불 밑에 전화기를 파묻어놓고 밤마다 전화 통화를 했다.

뜨겁게 달군 쇠 가위 고데기로 머리를 부풀리는 소토마키(바깥말이), 우치마키(안말이) 헤어스타일이 유행이었지만, 인자 씨는 업스타일을 좋아했다. 업스타일은 그녀의 하얀 피부를 돋보이게 했고, 당시에는 큰 편에 속하는 키 162센티미터의 몸매를 늘씬하게 보이게 했다. 비록 머리 모양을 유지하기 위해 2~3일은 엎드려서 자는 불편함을 감수해야 했지만 말이다.

"비행기에서 내려다보면 서울이 화로에 숯불을 담아놓은 것처럼 반짝반짝하고, 자기 숨소리만 들리는 것이 아름답다고 했어. 내가 불안해하는 걸 알아서 그랬을까? 나는 절대로 죽지 않을 거라고, 죽더라도 세상에서 가장 비싼 관일 테니 멋지지 않느냐고 했지."

만난 지 1년이 되었을 즈음, 포천에 훈련이 있어 다녀오겠다는 연락을 받았고 바로 그다음 날, 조간신문에 군용기 추락 기사가 실렸다. 사람은 언제든지 죽을 수 있다는 것, 꿈 많고 건강한 사람이 하룻밤 사이에 목숨을 잃을 수 있다는 것이 허무했다.

"지금도 정복을 입은 군인을 보면 걸음이 멈춰지곤 해."

지난 연애를 이야기할 때, 어머니의 몸에서는 농농한 꽃 냄새가 나고, 얼굴에는 붉은 꽃이 살짝 피어오른다.

마음은 여전히 청춘 시절 그대로인 듯 어머니는 〈하트 시그널〉, 〈썸바디〉 같은 연애 관찰 예능 프로그램을 즐겨 본다. 선남선녀의 미묘한 감정을 읽으며, 엇갈리는 관계를 안타까워하면서.

"저렇게 반응해주니 좋아하지 않을 수가 있나!"

"쯧쯧, 왜 저렇게 멍청한 대답을 할까."

타인의 연애에 몰입하며 들떠 있는 어머니의 모습이 낯설면서도 귀여워, 나도 옆에서 맞장구를 쳤다.

"맞아, 맞아. 저런 사람들이 꼭 있다니깐."

급기야 1대와 2대 모녀는 3대 딸들이 저런 남자를 만났으면 좋겠다, 저런 남자를 만나면 안 되는데 희망과 걱정을 쏟아놓는다. 이렇게 함께 TV를 보며 수다를 떠는 것이 삶의 소소한 행복이 아닐까 싶다. 그런 기회가 무한정 남지 않았다면 더더욱.

나는 슬쩍 엄마에게 물었다. "엄마, 나랑 TV 보면서 수다 떠니까 재미있지?"

"그러엄~ 좋지. 같이 보니까 전기료를 아낄 수 있잖아."

이것이야말로 어머니와 나, 반전 있는 완벽한 조합이다.

CHAPTER 03

여자는 55세부터 행복해진다

나는 친절한 차별주의자였다

사람은 다 똑같다. 뼈와 살과 음식으로 만들어졌다. 오직 음식만이 다를 뿐.

- 루이스 케니

몇 해 전, 미술 전공을 고민하던 당시 고등학교 1학년이었던 큰딸이 미술지도 봉사 모임인 '금잔디'의 활동에 참여하고 싶다고 했다. 금잔디는 2001년부터 여성 장애복지시설인 '나눔의 동산'에서 한 달에 한 번, 20여 년 가까이 미술 수업을 진행해온 춘천 지역 작가 단체다.

학생 봉사자는 학부모와 함께하는 것을 원칙으로 삼고 있어서 나도 미술 활동 보조원으로 봉사를 하러 갔다. '나눔의 동산'은 당시 살고 있던 춘천 시내에서 차로 한 시간 정도 나가야 하는 외곽 지암리에 있었다.

10대에서 70대까지 다양한 연령대의 장애인이 수업 공간으로 모였다. 그날 활동은 '낙엽 보고 그리기'였다. 능숙하게 그리기 시작한 사람도 있었고 무조건 동그라미만 계속 그리는 이, 밑그림은 정교하게 그렸지만 한 색깔로 칠하는 이, 도화지가 뚫어질 때까지 한 부분만 여러 색깔로 칠하는 이도 있었다. 내가 시범을 보인다고 색칠하면 다 칠해달라고 하는 이가 있는가 하면, 그림을 망쳐놓는다며 소리 지르는 사람도 있었다. 나와 딸은 어디까지 지켜보고 어디까지 도와야 할지 몰라서 쩔쩔맸다.

연륜 있는 봉사 선생님들은 종이 위에 낙엽을 놓고 선을 따라 그려보게 하고, 파스텔을 바꿔 쥐어주며 여러 색깔을 칠해보도록 유도했다. 무엇보다 칭찬을 많이 했다.

"은행잎을 노란색이 아니라 보라색으로 그리니까 세련되어 보이네!"

집중하지 않을 때는 가볍게 나무라기도 하며, 그림을 완성해 성취감을 느끼도록 유도했다. 완성된 그림은 벽에 걸었다. 작은 그림들이 모이자 커다란 캔버스에 담긴 하나의 그림처럼 보였다. 고정관념 없이 그린 잎 모양과 색깔은 과감하면서도 순수해서 뭉클했다. 그림으로 소통한다는 것이 이런 것일까 어렴풋이 느껴졌다.

모두의 그림이 걸린 벽 앞에 그날의 사회자로 뽑힌 장애인이 섰다. 서로 손을 들고 사회자가 지적한 사람은 일어나 어떤 그림이 가장 마음에 드는지 왜 그런지 말을 했다. 딸은 이 시간이 특히 좋았다고 했다. 장애인에 대한 고정관념이 깨졌기 때문이었다. 지금까지 장애인과 함께 지낸 경험은 초등학교 때 같은 학급에 있던 장애인 친구뿐이었다. 장애인은 무조건 도움을 받는 존재라고만 생각했는데, 스스로 그린 그림을 통해 자기를 표현하는 것을 보고 편협했던 자신을 돌아보았단다.

다음 해 서울로 이사 온 후에도 딸은 계속 춘천으로 미술 봉사를 다니며 미술 전공을 결심했고, 미술 치료에도 관심을 갖게 되었다. 요즘도 나는 페이스북으로 매달 봉사 활동 사진과 그림을 보며 감동받고, 그들의 안위를 확인한다. 그렇게 장애인과 쌓은 좋은 추억만 남아 있었다. 얼마 전, 장혜영의 책과 영화 〈어른이 되면〉을 보기 전까지는.

장혜영 씨는 어릴 적 헤어져 18년 동안 시설에서 살아온 동생이자 지적 발달 장애인인 장혜정 씨를 데리고 나와 지금은 함께 살고 있다. '생각 많은 둘째 언니'라는 유튜브 채널을 통해 동생과의 일상을 공개하고 있는데, 장애인 동생과 함께 사는 것은 예상대로 만만치 않았다.

언니는 노래를 좋아하는 흥 많은 동생이 장애인 야학 음악 수업도 좋아할 것으로 생각했지만 그렇지 않았다. 언니는 자기가 따라가지 않는 (비장애인) 친구들과의 여행을 걱정했지만 동생은 무탈하게 다녀온다. 아직 사회적 뒷받침은 미진하다. 서울시에서 운영하는 장애인 활동 보조 서비스를 어렵게 신청하지만, 활동 보조인이 없어 도움을 전혀 받지 못한다. 자매는 연말에 사람들을 초대해 작은 콘서트를 열고 새해를 맞는다. 이 일련의 과정을 책과 장편 다큐멘터리 〈어른이 되면〉에 담았다. 장혜영 씨는 '우리의 이야기도 세상에 필요하다'고 담담하지만 힘 있게 말한다.

> "혜정이와 살아간다는 것은 말 그대로 '살아간다는' 것이었다. 혜정이는 욕망과 인격을 가진 사람이 아니

라 그저 '몸'으로 취급받는 삶을 너무 오래 살았다. 그런 혜정이에게 필요한 것은 자유롭고 인간다운 삶이었다."*

'나눔의 동산'에 옷을 기부하러 갔을 때가 생각났다. 중증 발달 장애인들은 음식이나 용변으로 하루에도 여러 번 옷을 갈아입을 때가 많아서 헌 옷 기부를 부탁받았다. 나는 지인들에게 당부해 옷을 모으고 깨끗이 빨아서 가져갔다.

"새로운 옷이 올 때마다, 서로 마음에 드는 옷을 입겠다고 얼마나 신경전을 벌이는지 몰라요."

담당 복지사 말에 나는 "다들 여자는 여자이신가 봐요"라며 웃었다. 이 말이 얼마나 차별이 담긴 말이었는지 그때는 미처 몰랐다.

나는 장애인에게 옷이란 '몸'을 보호하기 위해 입는 1차적인 의미로만 생각했다. '욕망과 인격'은 없는 것, 그들에게 '취향'이란 사치스럽다고 생각한 것은 아닌지 반성했다. 나

---

* 82쪽, 『어른이 되면』, 장혜영, 시월, 2020.

는 웃으며 그들의 손을 잡아주고 정성껏 간식과 옷을 챙겨갔지만, 마음속으로는 '깨끗하게 입혀주는 대로 입으면 됐지, 고르기까지 하다니'라고 생각했던 '친절한 차별주의자'였다고 고백할 수밖에 없다. 각각의 인격체로서 고유성을 인식하지 못했다. 거기에 여성은 예쁜 것, 꾸미는 것을 좋아한다는 성 고정관념은 덤으로 담긴 차별의 언어였다.

> "장애인과 비장애인이 함께 살아가지 않는 세상에 익숙한 많은 사람들은 부지불식간에 친절한 차별주의자가 된다. 그들은 가끔 만나는 장애인들에게 마음을 다해 친절을 베풀기 위해 노력한다. 하지만 내게 그 친절은 과장되고 부자연스럽다. 친절을 위한 친절이기 때문이다. (……) 장애인을 대할 때 필요한 것은 배려와 호의, 친절한 태도가 아니라 인간에 대한 예의이다."*

* 64쪽, 『어른이 되면』, 장혜영, 시월, 2020.

비장애인은 '장애인을 차별하면 안 된다'고 머리로 학습한다. 겉으로 장애인에게 친절히 대하지만, 여전히 무의식적으로 그들은 불완전하고 불편한 존재라고 생각할 때가 많다. 눈에 보이지 않도록 분리하고 격리해 보이지 않는 존재로 살기를 원한다.

자신이 사는 지역 사회에 장애인 복지 시설, 장애인 학교가 들어설 경우 다양한 이유로 반대하며 그들의 사회적 고립을 당연시한다. 장애인을 동료 시민으로 인정하고, 무던히 자신의 장애에 적응해가는 사회의 한 구성원이라고 가슴으로 인정할 때, 우리는 친절한 차별주의자가 아닌 온당한 평등주의자가 될 수 있지 않을까? 평등은 함께 살아가는 공존의 가장 기본적인 조건이기 때문이다.

"축하합니다!"

얼마 전 집에 도착한 택배 상자를 열어보니 표지에 풍성한 꽃다발이 그려진 예쁜 그림책 『축하합니다』가 들어 있었다. '금잔디'에서 '나눔의 동산' 장애인들이 그린 꽃 그림을 모아 출간한 그림책이었다. 연필선 위로 수채화 물감이

물을 만나 곱게 퍼지듯이 따뜻한 기운이 내 마음에 스며들었다. 그들은 사랑스러운 꽃을 통해 우리에게 말한다.

"세상에 하나뿐인 당신을 위해 말해요. 축하합니다."

그림책 『축하합니다』를 통해 다시 한번 깨닫는다. 우리는 모두 평등하게 축복받을 존재라고. 나도 화답하고 싶다.

"당신 역시 세상에 하나뿐인 존재입니다. 당신이 있음을 축하합니다!"

물건에 쌓인 추억을 정리하는 법

버리지도 못한 물건들로 가득한 방에서 나의 삶은 멈추었다.

- 사사키 후미오, 『나는 단순하게 살기로 했다』 중에서

우리 집 베란다 창고에는 이삿짐 센터 마크가 찍혀 있는 종이 상자가 몇 개 있다. 이사 온 지 4년이 넘어가는데 아직 풀지 않고 그대로 있는 짐이다.

제일 큰 상자는 음악 CD다. 그동안 클래식, 재즈 CD를 많이 모아 CD 수납장이 따로 있었다. 스트리밍이 편하다 보니 점점 CD를 꺼내 듣지 않게 됐다. 음악을 좋아하는 후배에게 모두 줘야겠다 싶어 이삿짐 상자로 꾸렸다. 이사를 한 뒤 막상 후배에게 연락하려니 '그래도 마지막인데 CD를 한 번씩은 들어봐야 하지 않을까?' 싶었다. 해외에서 어렵게 구했던 바흐 CD는 빼놓을까? 첫 월급 탄 기념으로 산 빌리 할리데이 CD도 빼야 하지 않을까? 그렇게 차일피일 미루다 여태껏 박스 테이프조차 뜯지 않았다.

또 다른 상자는 두 딸의 어릴 적 물건을 모아둔 상자다. 이 상자는 정리하려고 여러 번 시도했으나 매번 실패했다. 일기, 상장, 편지도 있지만 두꺼운 스케치북이 제일 많다. 처음 그린 '우리 가족', '유치원 소풍 간 날' 등 어릴 적 고사리손으로 그린 그림을 보니 차마 정리할 수 없었다. '사진으로 남겨놓고 버리자' 싶어 다시 상자를 열었다. 하지만 그 색감을 사진으로 담을 수 없어 포기하고 도로 상자를 닫았다.

묵은 짐은 손으로 만져지는 물건만 있는 게 아니다. 핸드폰 안에도 사진과 음악이 쌓여 있다. 나의 핸드폰에는 7,000장 가까운 사진이 들어 있다. 월정액을 내고 스트리밍으로 음악을 듣는데도 무제한 다운로드에 욕심이 나서 보관함에 내려받은 음악이 몇 백 곡이다. 컴퓨터 속 쌓인 짐은 또 어떠한가. 제목만 봐서는 내용을 알 수 없는 파일이 수두룩하다.

인터넷 세상에도 내 묵은 짐은 여기저기 널려 있다. 포털 사이트에 들어가 보니, 나는 무려 50개가 넘는 카페 커뮤니티의 회원이었다. 여행 정보를 얻기 위해 급하게 가입했거나 재봉, 스테인리스 팬, 베이킹 등 한때 관심 있어서 들어갔지만 활동은 전혀 하지 않는 카페가 대부분이었다. 심지어 2007년에 내가 만든 카페도 있다. 혼자 글을 올리기 위해 만든 공간이었다. 카페 이름도 '숨어 있기 좋은 방'. 글은 달랑 두 개. 그중 하나가 '둘리'였다.

2007년 3월. 새로운 정수기 점검차 집에 온 관리자가 말했다.

"어머, 제 고등학교 수학 선생님과 많이 닮으셨어요. 선생님 별명이 둘리였는데."

깜짝 놀랐다. 내 중학교 때 별명이 둘리였기 때문이다. 한참 잊고 있었던 별명을 들으니 중학교 친구들이 생각났다. 항상 세 명이 붙어 다녔는데, 서로 애니메이션 〈둘리〉에 나오는 캐릭터 둘리, 또치, 도우너로 불렀다. 신기하게도 정말 닮았었다. 지금은 모두 연락이 끊기고 말았지만.

얼마 전 참석한 연말 모임이 생각나 예전에 쓴 글이 더 뭉클하게 다가왔다. 회원들과 간단한 심리 게임을 했다. 여섯 장의 빈 카드에 '나는~'으로 시작하는 한 문장을 각각 쓰고 공개했다. '나는 현빈을 좋아한다', '나는 음식물쓰레기 버리는 일이 제일 싫다', '나는 요즘 살이 많이 쪘다', '나는 매일 아침 커피를 마신다', '나는 유럽 여행을 하고 싶다' 등등. '나'라는 주어 뒤에 다양한 동사로 문장이 완성됐다. 이제 자기에게 의미 없는 카드를 한 장씩 버리며 이유를 말했다. '나는 요즘 살이 많이 쪘다'를 쓴 친구는 오늘부터 다이어트에 들어갈 테니 의미 없게 되길 바라며 버렸다. '나는 매일 아침 커피를 마신다'를 쓴 친구는 이미 일상이 되어버린 일이라 별 의미가 없다며 버렸다.

내 차례가 돌아왔다. '나는 어릴 적 별명이 둘리였다'는 카드를 제일 먼저 버리려다 주저했다. 별명에 배어든 추억까지 버리는 것 같아서였다. 잊고 지낸 또치와 도우너의 얼굴도 떠올랐다. 보고 싶었다. 결국 카드를 마지막까지 들고 있었다.

우리가 물건을 잘 버리지 못하는 까닭은 언제 사용할지 모른다는 실용적인 목적보다 물건에 얽힌 추억이 더 크지 않을까. 음악 CD를 보면 그 CD를 고르던 레코드 가게의 분위기와 냄새까지 생각난다. 아이들의 물건 속 삐뚤빼뚤한 글씨와 귀여운 그림에서 그 시절 아이들의 온기가 다시 살아난다. 오래된 별명을 적은 카드를 버리고 싶지 않았던 것도 추억 속에서 우리 삼총사는 여전히 팔짱을 끼고, 까르르르 소리 내며 웃고 있기 때문이다.

"아니, 이걸 지금까지 가지고 있었어요?"

창고 문을 열 때마다 한숨을 쉬는 나와는 달리 아이들의 반응은 시큰둥하다. 그래, 딸들에게 본인들의 그림을 각자 처분하도록 맡겨야겠다. 이번에도 내가 건드렸다가는 추억에 빠져 도로 다 담을 테니. CD 상자는 절대 열어보지 말고 후배에게 주자. 박스 테이프를 뜯는 순간 판도라의 상자처럼 추억의 음악들이 쏟아져 나와 질척댈 테니 말이다.

내가 이렇게 단단히 결심한 것은 '물건 정리 실용서'가 아닌 리베카 솔닛의 에세이『길 잃기 안내서』덕분이다. 작가는 물건뿐 아니라 물건에 쌓인 추억을 어떻게 정리해야 할지 말해주었다. 우리가 얻는 것과 잃는 것은 긴밀하게 연결되어 있어서, 희미해진 기억을 글로 적을 때마다 기억은 그림자 같은 생을 마감하고 활자로 고정된다고 했다.

그녀의 말대로 이 글을 쓰며 추억이 오히려 뚜렷해지는 신기한 경험을 하고 있다. CD와 아이들의 물건, 중학교 동창들과의 추억은 이미 활자로 뚜렷하게 각인되었다. '버려도 잃지 않는다'는 의미를 알겠다. 좀 더 가볍게 창고의 묵은 짐을, 마음속 추억의 짐을 정리할 수 있겠다. 세상의 어떤 것은 영영 잃어버린 상태일 때만 우리가 가질 수 있고, 또 어떤 것은 멀리 있는 한 우리가 영영 잃지 않는다고 하니까.

능력주의는 허구다

능력주의 윤리는 승자들을 오만으로 패자들을 굴욕과 분노로 몰아간다.

- 마이클 샌델, 『공정하다는 착각』 중에서

30여 년 전인 1990년대 초, 대학교 2학년이었던 나는 한 학기 동안 근로장학생으로 단과대 도서관에서 일한 적이 있다. 도서관이라기보다 여섯 명이 앉을 수 있는 큰 책상이 여러 개 있는 열람실에 가까웠다. 나는 옛날 다방에 가면 DJ가 들어가 있을 법한 둥근 타원의 유리로 되어 있는 사무실에 앉아 가져간 책을 읽으며 시간을 보냈다.

어느 날 책장 한 편에 쌓여 있는 학생 입학 서류가 눈에 띄었다. 지금은 개인정보 때문에 철저하게 관리되겠지만 당시는 개인정보 개념이 없던 시절이었다. 나는 궁금해서 우리 학번 기록부를 들춰보았다. 우리 과의 재학생이 60명이었는데 10퍼센트인 여섯 명의 현주소가 당시에도 부촌으로 알려진 서울 강남구 압구정동 소재 아파트였다. 지방에서 올라온 동기의 아버지 직업란에도 의사, 교수, 호텔 경영, 고위 공무원 등 소득 상위층이 많았다.

아버지가 초등학교 교사이고 강북 끝에 살던 나는 그 속에서는 중하위 수준이었다. 그때 나는 대학 입학 기회가 평등하지 않을 수 있다는 생각을 처음 했다. 당시 개인 과외가 금지되어 있었지만 '대학생 몰래 과외'뿐 아니라 유명한 개인 강사 과외가 암암리에 성행하고 있다는 것도 알게 되었다. 30년 전에도, 아니 가난한 청년을 '입주 교사'로 들이던 그 이전 세대에도 부모의 경제 능력에 따른 교육의 불평등은 이미 존재했다.

하지만 우리는 아직도 학교와 교육으로 쌓은 '개인의 능력'이 성공의 지름길이라고 믿고 있다. 사회학 교수인 스티븐 J. 맥나미와 로버트 K. 밀러 주니어는 책 『능력주의는 허구다』에서 우리가 가장 평등하다고 여기는 학교와 교육이 '불평등한 삶을 대물림하는 잔인한 매개체'라고 말한다. '교육은 빈곤의 원인이 아니라, 빈곤의 결과'이기 때문이다. 학교와 교육의 양과 질은 계층에 따라 다르며, 기회조차 차별적으로 주어진다. 이 차이는 성인이 된 후의 직업과 소득의 차이에 영향을 미치며, 다시 다음 세대로 세습된다. 대학 또한 '불평등한 출발점'을 재생산하는 사회 시스템이 된다는 것이다.

능력(merit)을 개인의 특징으로, 능력주의(meritocracy)는 사회의 특징으로 볼 때 '능력주의'란 개인의 노력과 능력에 비례해 보상을 해주는 사회 시스템을 뜻한다. 진정한 능력주의 구조로 우리 사회가 돌아가려면 모두가 똑같은 지점에서 출발해야 한다. 하지만 실제 인생 레이스는 '개인 경주'가 아니라 부모로부터 배턴을 물려받는 '릴레이 경주'가 되어버렸다. '인생 출발점' 자체가 다른 것이다. 태어날 때부터 다른 출발점의 차이는 점점 더 누적되어 교육, 직업, 소득, 부의 격차를 만들고, 심각한 불평등으로 이어진다.

부모로부터 물려받는 배턴은 주택이나 땅을 비롯한 부동산, 사업체, 현금 등 유형의 자본뿐 아니라 무형의 자본도

포함된다. 부모가 쌓아놓은 인맥은 사회적 자본으로, 어렸을 때부터 가정에서 누려온 풍부한 문화적 자원은 무형의 세습 자본이다. 이런 차별적 특혜는 교육과 취업에 직접적인 영향을 미친다. 부모로부터 물려받은 비능력적 요인이 개인의 능력이 되는 것을 간과하는 '능력주의'에 대한 맹신은 그래서 위험하다.

개인의 영향력 밖에 있는 불가항력적인 요인도 있다. 운이나 태어난 시기와 같은 타이밍, 사회 구조적 변화, 국내 및 세계 경제 상황 등이다. 현재 청년들이 부모 세대에 갖는 반감이 그럴 것이다. 30년 전, 특히 공대생의 경우 미리 대기업 입사를 정해놓고 회사 장학금을 받는 학생도 많았다. 경제 성장으로 원하면 취직이 되던 시대(물론 그 시대에도 여성은 대기업에 소외되었는데, 50대 그룹 여대생 취업률은 8.6퍼센트였다.*)와 경제 성장이 멈춘 현재의 청년에게 '능력'을 같은 기준으로 평가할 수 없다.

만일 내가 재능과 근면 성실함, 도덕성과 좋은 태도 등 중

---

* 《매일경제》, 1995년 7월 20일자.

요한 개인적 자질을 갖추었다고 해도, 누군가에게 발견되어야 하고, 발전시키기 위한 기회가 주어져야 한다. 오랜 시간에 걸친 노력과 큰 비용이 들어가는 체계적인 훈련을 받아 연마되어야 한다.

이를 상징적으로 볼 수 있는 예가 매년 수십억 달러를 벌어들이는 우리나라 K-POP의 근간에 있는 아이돌 산업이 아닐까 싶다. 넷플릭스 다큐멘터리 〈블랙핑크 : 세상을 밝혀라〉에서 "열한 살부터 시작할 수 있는 연습생은 몇 달 만에 데뷔하기도 하지만 10년이 걸리기도 한다, 대다수의 연습생은 데뷔를 못 한다"는 내레이션이 인상적이었다.

블랙핑크 멤버 네 명도 열대여섯 살부터 하루에 열네 시간씩 훈련을 했다면서, 쉬는 날은 2주에 단 하루였다고 말한다. 그보다 힘든 것은 20~30명 되는 같은 또래 간의 '경쟁'이었다고 고백한다. 매달 시험에 탈락한 연습생은 집으로 돌아가야 한다. 엄청난 경쟁률을 뚫고 오디션을 통해 선발된 '개인적 자질'을 갖춘 수많은 연습생도 '사회적 계층 이동'에 실패한다.

소위 개천에서 용 나는 '자수성가형 인물'은 이제 옛 신화처럼 들린다. 부모의 소득과 대학 입학률이 비례하는 교육 시장에서 혼자의 힘으로 대학에 진학하거나 대기업의 독점 시장 지배 구조 속에서 자영업으로 성공하기는 매우 힘들다. 성별, 성적 취향, 외모 등 고정 관념에서 비롯된 차별 역시 불평등을 초래한다. 많은 사람들은 똑같은 성공의 기회를 얻고 자신이 쏟아붓는 만큼 되돌려 받는 능력주의를 찬양한다. 하지만 자신의 사유 재산은 마음대로 처분할 수 있는 상속의 자유를 주장하고 있어서 근본적인 모순이 생길 수밖에 없다. 갈수록 상속주의가 능력주의를 앞서고 있기 때문이다.

수험생 딸에게 소위 명문 대학에만 가면 모든 것이 해결될 듯이 말했던 것이 얼마나 무책임했는지 반성한다. 우리나라의 대학 입시 제도가 자주 바뀌고 복잡해, 개인 학습 능력보다 외적인 요인에 더 많은 영향을 받는 것을 알고 있지만 학벌에 대한 선망은 공고하다. 유명인들 자녀의 입시 논란에 더 예민하게 반응하게 된다.

우리는 불평등한 사회에 살고 있다는 것을 알지만 인정하기 싫었던 것이 아닐까. 정치 철학자 애덤 스위프트의 지적처럼 '국영 보육원'을 만들어 모든 아이가 그곳에서 똑같이 생활한다고 해도 '평등한 사회'가 올까? 그런 의미에서 『능력주의는 허구다』 저자들의 말을 다시 한번 새겨본다.

> "21세기 능력주의 신화는 심하게 왜곡되어 있기에, 경제적 성공과 실패의 원인을 정확하게 설명하지 못한다. 따라서 우리는 잘못된 능력주의를 기준으로 삼아 부자를 칭송해서도 안 되며 가난한 사람들을 부당하게 비난해서도 절대 안 된다."

* 『능력주의는 허구다』, 스티븐 J. 맥나미 · 로버트 K. 밀러 주니어, 사이, 2015년.

여성 감옥 탈출하기

남편의 아내이기 전에 내 자식의 어미이기 전에
첫째로 나는 사람인 것이오.

- 나혜석

몇 년 전, 우리 집 베란다 창문 너머로 전통 아랍 복장을 한 남자와 눈이 마주쳤다. 아파트 건너편 에쓰오일 본사 건물에 걸린 대형 현수막 사진 속 남자였다. 마천루의 반을 덮은 커다란 현수막 속 남자는 인자한 미소를 띠고 있었는데, 이틀 뒤에는 건물 옆 편에 똑같은 현수막이 한 개 더 걸렸다.

얼마나 중요한 사람이길래 그럴까 궁금해 찾아보았다. 당시 방한 예정인 사우디아라비아의 무함마드 왕세자였다. 사우디아라비아의 국영 석유화학 회사인 아람코는 사우디 정부 재정의 80퍼센트를 책임질 정도로 국가 경제에 큰 영향을 미치고 있는 회사다. 그 아람코의 실세가 바로 무함마드 왕세자인데 개인 재산이 1,246조라고 한다. 검색하던 나는 당시 고등학생이었던 딸에게 농담을 툭 건넸다.

"너 학교 갔다 오다 왕세자님 눈에 띄어서 일곱 번째 부인 되는 거 아냐?"

영국 BBC 기자 수 로이드 로버츠가 쓴『여자 전쟁』중 '사우디아라비아' 편을 읽다가 딸에게 건넸던 열없는 농담이 생각나 얼굴이 화끈거렸다. 오늘도 사우디아라비아 여성들이 뿌리 깊은 가부장제와 종교, 차별과 종속에 맞서 힘겨운 전쟁을 벌이고 있는데, 나는 일부다처제를 농담의 소재로 써버린 것이다.

다른 중동 이슬람 국가와 마찬가지로, 사우디아라비아는 여성 인권 침해 문제로 국제적 비판을 받아왔다. 이슬람 경전인 코란을 근거로 내세우지만, 250년 전 왕조와 협약을 맺은 지배 세력 와하브파 성직자들의 자의적인 해석에 가깝다.

"와하브주의는 여성을 정신적으로 결함이 있는, 영원히 성숙한 인간이 될 수 없는 존재로 취급한다. 여성은 집을 나서기 전에 반드시 남성의 허락을 받아야 하며, 병원 치료를 받거나 은행 계좌를 개설하거나 교육 기관에 입학하거나 또 여행할 때도 집 밖에서 보내는 매 순간 남성의 보호를 받아야 한다. 남성 보호자는 여성이 몇 살이든 상관없이 결혼시킬 수 있다. 만일 이혼한 여성에게 아버지와 남자 형제마저 없다면, 10대 아들에게서 이러한 특권을 누릴 허가를 받아야 할 수도 있다."*

대부분의 사우디아라비아 여성이 남성의 감시 속에 고통스럽게 살고 있지만, 특히 이혼이나 사별로 집안에 남성 보호자가 없는 여성은 더욱 심각하다. 외출은 물론 병원, 관공서 일을 볼 수가 없어서 굶거나 병에 걸려도 도움을 청할 수 없다. 사우디아라비아가 '세계에서 가장 큰 여성 감옥'이

* 117쪽, 『여자 전쟁』, 수 로이드 로버츠, 클, 2019.

라는 여성 운동가 와제하 알후웨이더의 표현이 과장되었다고 느껴지지 않는다. 그는 "누구에게도 피해를 준 적 없는 여성들이 평생 죄수처럼 갇혀 살고 있다"며 2008년 자신이 운전하는 사진을 유튜브에 올렸다가 사우디 정부의 탄압을 받았다.

영화 〈와즈다〉가 생각났다. 사우디아라비아의 재기 발랄한 열 살 소녀 와즈다는 자전거를 갖는 것이 소원이다. 와즈다의 엄마는 '여자애들이 자전거를 타면 처녀막이 터지고 나중에 아이를 못 가진다'며 반대한다. 여성은 자전거뿐 아니라 자동차 운전도 할 수 없고, 혼자서는 대중교통도 이용할 수 없기 때문에 운전기사를 고용해야 한다. 와즈다 엄마는 거리가 멀지만 여자만 있는 직장을 다니기 위해 불친절한 남자 운전기사를 참아야 하고, 남편에게 예쁘게 보이기 위해 드레스를 사러 쇼핑몰에 갈 때도 밖에서 기다리는 운전기사 때문에 서둘러야 한다.

하지만 마지막 장면에서 이 거대하고 깜깜한 감옥에 깃드는 한 줄기 햇살 같은 희망을 보여준다. 와즈다의 아버지는 아들을 낳기 위해 새 부인을 맞이한다. 남편에게 실망한 와즈다 엄마는 남편이 좋아한다는 이유로 길렀던 찰랑찰랑한 긴 머리를 자른다. 남편에게 사랑받기 위해 사려던 붉은 드레스 대신 와즈다의 자전거를 산다. 그리고 와즈다에게 이야기한다.

"세상에서 네가 제일 행복했으면 좋겠어."

영화 〈와즈다〉를 만든 하이파 알 만수르는 사우디아라비아 최초의 여성 감독이다. 남녀가 같은 사업장에 있는 것을 불순하게 보는 젠더 분리 정책 때문에 감독은 차 안에서 지시를 내리고, 촬영된 컷을 다시 차 안에서 확인하고 재촬영하는 등 어려움이 많았다고 한다. 하이파 알 만수르 감독은 종교 보수주의자들로부터 살해 협박을 받기도 했지만, 영화 개봉 후 여자도 자전거를 탈 수 있도록 사우디아라비아의 법률을 바꾸는 쾌거를 이뤘다.

그 후 2018년, 사우디아라비아 정부는 여성 운전을 허용했고, 남성 보호자의 허락 없이도 여성이 해외 여행을 할 수 있도록 검토 중이라고 발표했다. 그러나 남성 보호자가 교육, 취업, 결혼 등 여성의 법적 행위를 승낙하는 권한은 여전히 유지할 방침이라고 한다.

사우디아라비아 여성이 '남성의 보호 속에 있을 때만 안전하다'는 그릇된 인식의 감옥에서 완전히 탈출하기 위한 전쟁은 쉽게 끝나지 않을 것 같다. '외출 허가증' 없이 내 마음대로 밖을 다닐 수 있는 우리의 당연한 일상이 사우디아라비아 여성들에겐 간절한 소망이라는 사실에 마음이 아팠다.

하지만 그래픽 노블『재윤의 삶』소개 기사에 달린 댓글을 보고 우리나라 여성도 여전히 젠더의 감옥, 혐오의 감옥, 편견의 감옥 속에 있다고 느꼈다. 브래지어, 월경, 성희롱이나 여성 혐오 등 20대 여성 주인공의 일상을 솔직 담백하게 담았다는 평론에 온갖 악성 댓글이 달려 있었다.

'여자는 공감과 배려만 바란다.'

'여자는 젊을 때는 대충 살다가 남자 잘 만나서 계속 편하게 산다.'

편견에 근거한 혐오를 쏟아내는 우리나라만 보더라도, 세상의 모든 여성이 아직 '전쟁' 중이다. 그런 면에서 열악한 여성 인권 문제를 취재하는 데 평생을 바친 수 로이드 로버츠는 '차별받는 여성'이란 감옥에 갇혀 있는 세계의 모든 여성의 현주소를 정확히 알려주었다.

아내, 엄마, 딸 말고 나라는 사람

불필요한 것으로부터 얼마나 벗어나 있는가에 있다. 홀가분한 마음. 여기에 행복의 척도가 있다.
-법정 스님

결혼 20주년 기념으로 남편과 함께 대학병원에서 비싼 건강 검진을 받았다. 나는 평생 처음 목에 초음파 검사를 해보았고, 갑상선암 진단을 받았다. 초기라 다행이었지만 체력을 키워야겠다고 생각했다. 큰마음을 먹고 개인 트레이닝, 일명 PT를 시작했다.

트레이너는 내가 근육이 너무 없어서 걸어 다니는 것이 신기할 정도라고 했다. 앞으로 운동을 열심히 하되 식단도 신경 써서 챙겨 먹으라고 했다. 매일 일어나자마자 삶은 달걀 두 개, 운동 후에도 삶은 달걀 두 개, 하루 식사 중 한 끼는 꼭 닭가슴살 같은 저지방 고단백 고기로 많이 먹기. 패스트푸드, 중화요리, 탄산음료는 절대 금지.

하루는 트레이너가 물었다.

"회원님, 식단 잘 챙겨 드시고 있습니까?"

"아, 제가 주부다 보니까, 남은 음식이 있어서……."

"운동해서 열심히 창고를 만들면 뭐 합니까? 창고 안이 텅 비어 있는데. 단백질을 채워 넣어야죠!"

문득 인생도 같다는 생각이 들었다. 우리는 하루하루 시간의 벽돌로 인생이란 창고를 짓고 있다. 내 창고를 가만히 들여다보았다. 아내, 엄마, 딸, 며느리라는 역할 이름이 붙어 있는 큼직한 가마니가 차곡차곡 쌓여 있다. 하지만 '나'라는 가마니는 납작했다. 맡은 역할에 충실하기에도 급급할 때가 많았기 때문이었다.

중년이 되자 납작해진 나를 더 실감한다. 몸은 하나둘씩 노화의 경고를 보내왔고, 마음은 지나간 날의 후회와 미래의 두려움으로 가득하다. 가족이 주는 안락함과 행복 속에 오롯이 느끼는 외로움과 상실감의 혼란이다. 내 생각을 정리하기 위해서 글을 써야겠다고 생각했다. 하지만 무엇부터 해야 할지 겁이 났다.

방송 작가로 일했기 때문에 글쓰기가 낯설지 않았지만, 글을 '잘' 쓸 자신이 없었다. 방송 글은 움직이는 화면에 글을 입히거나 스튜디오 대본을 쓰는 작업이기 때문이다. 바로 그때 구석에 먼지 쌓인 씨주머니가 몇 개 보였다. 중고등학교 때 쓴 독후감 모음집, 친구들과 주고받은 편지함, 읽은 책에서 옮겨 적은 문장, SNS에 썼던 짧은 글…… 씨주머니를 허리춤에 찬다. 글 밭에 뿌리러 나가야겠다. 씨앗 문장들을 정성껏 키워야겠다. 통찰과 이해라는 거름과 물을 주며 좋은 글로 거둬들여 창고에 넣어야지. 이래서 농부는 굶어 죽어도 씨앗은 베고 죽는다고 했나 보다. 글을 쓰고 싶은 기운이 난다. 내 인생의 창고에 나만의 언어로, 나만이 쓸 수 있는 글로 가득 차게 하고 싶다.

"잠깐만요! 저 정말 안 되겠어요. 무게를 조금만 빼주시면 안 돼요?"

누워서 발판을 들어 올리는 기구 '파워 레그 프레스'를 하다가 힘에 부쳐 트레이너에게 사정했다. 한 번만 더 밀어 올리다가는 정말 다리가 툭 부러질 것만 같다. 그럴 때마다 트레이너의 대답은 똑같다.

"조금만 더 버티세요! 이때 근육이 생기는 겁니다. 한 개만 더 해봅니다. 자, 열하나! 열두울! 열세엣!"

한 개만 더 하라더니 계속 구령을 붙인다.

흔히 '인생은 버티기'라고 한다. 버티기는 맞서 견디는 일이다. 방송 작가 시절, 첫 원고를 쓰던 날이 떠오른다. 소아암 병동 어린 환자에게 꾸준히 인형극 봉사를 하는 분의 이야기였다. PD와 함께 밤새 편집을 하면서 이 장면에 이런 내용을 쓰자고 상의했다. 완성된 편집본을 넘겨받았는데 갑자기 머릿속이 하얘지면서 한 줄도 쓸 수 없었다. 보고 보고 또 본 내용인데, 누가 내 머릿속을 하얀색 페인트로 덧칠을 해놓은 듯했다. 생방송 시간은 다가오고 리포터는 옆에서 초조하게 기다리고 있었다. 결국 선배 작가가 대신 써준 것을 한 장씩 스튜디오로 뛰어 나르며 겨우 방송 사고를 막을 수 있었다.

창피해서 그만둬버릴까 고민했다. 재능이 없다고 자책했

다. 나는 얼굴을 들 수 없었지만, 다음에 한 번만 더해보고 그만두자고 버텼다. 그 후로도 방송 시간이 가까워오면 심장이 뛰면서 머릿속이 칠흑같이 됐다가 백지장이 됐다가를 반복했지만 버텼다. 원고를 써야 하는데 편집실 모니터에 화면 조정 컬러 바만 떠 있는 꿈을 꾸다 울면서 깬 적도 여러 번이었다. 그래도 버텼다. 시간과 경험이 쌓이자 나중에는 여유 있게 쓰는 녹화 방송 원고보다 긴박한 생방송 원고가 오히려 편해졌다.

앞으로 글을 쓰다 보면 포기하고 싶을 때가 많겠지. 소설가 권여선은 '글쓰기는 버티기'라고 하지 않았나. 싱싱한 채소가 쭈글쭈글한 '장 속의 장아찌'가 될 때까지 모니터 앞에서 시간과 싸우는 맷집을 길러야 한다고. 한 송이 국화꽃을 피우기 위해 아니 한 편의 글을 쓰기 위해, 머나먼 젊음의 뒤안길에서, 인제는 돌아와 모니터 앞에 앉은 나여! 이제 다시 한번 버텨보자.

나는 겁이 많은 편이다. 운동할 때도 다칠까 봐 몸을 사리게 된다. 나이 들수록 회복이 더디다는 생각에 운동이 더 두려워진다. 배드민턴은 어깨가 빠질까 봐, 테니스는 손목이 나갈까 봐, 골프는 허리를 삐끗할까 봐 무섭다. 피트니스 역시 무거운 덤벨이나 바벨 같은 장엄한 운동 기구를 보는 것만으로도 아찔하다.

'저 4킬로그램이나 하는 덤벨이 내 발등에 떨어지면 어떡하지? 발뼈가 조각조각 바스러지는 것 아닐까?'

겁이 나는데 운동 신경까지 없다 보니 흥미가 생기지 않는다. 계속 지지부진한 나에게 트레이너가 물었다.

"회원님은 운동하시는 목표가 뭡니까?"

"건강하려고……."

"목표가 추상적이니까 발전이 없는 겁니다!"

그는 구체적인 목표가 있어야 집중할 수 있다고 했다. '지난번엔 스쾃*을 20개 했으니 이번엔 22개까지 해보겠다', '어제 케틀 벨** 4킬로그램을 들었으니, 오늘은 6킬로그램을

---

* 양발을 좌우로 벌리고 서서 발바닥을 바닥에 밀착한 채 등을 펴고 무릎을 구부렸다 폈다 하는 체력 단련 운동.

** 근육 운동을 하는 데 쓰는 운동 기구. 손잡이 아래에 주전자 모양의 쇳덩이가 붙어 있다.

들고 해보겠다' 같은 작은 목표를 세우라고 했다. 그래야 집중할 수 있고 성취감을 느껴야 운동할 의욕이 생긴다고.

글쓰기도 그렇다. 막연한 목표를 가지면 시작도 힘들다. 내가 책을 낼 수 있었던 것도 작은 목표에서 시작됐다. 2주에 한 번, 글쓰기 수업 동기들과 만든 읽고 쓰는 모임에 글 숙제를 꼭 한다는 목표를 세웠다. 2년 동안 꼬박꼬박해갔고 글이 조금씩 모였다. 마침 평소 이용하는 마포 서강도서관에서 독립출판 '각양각책'이란 프로그램 포스터를 보았다. '지금까지 쓴 원고를 문집처럼 책으로 묶어보면 어떨까?' 하는 작은 목표를 세우고 신청했다. 막상 책을 만들면서 사소한 나의 이야기가 책으로 만들 만큼 의미가 있을까? 하찮은 나의 글에 사람들이 감응할까? 난 너무 평범하잖아? 자괴감이 폭포같이 쏟아졌다. 그래도 일단 책 한 권 만들어보자는 목표를 향해 달렸다. 책의 꼴을 갖추고 보니 자신감이 생겼고, 출판사에 제안서를 보낼 수 있었다. 그리고 이렇게 당신과 만나게 되었다.

운동과 글쓰기 사이에 이렇게 공통점이 많다니! 그중에서도 가장 큰 공통점은 '내가 한다!'가 아닐까? 아무리 훌륭

한 트레이너가 설명해주어도 내가 움직이지 않으면, 글쓰기 수업을 듣고 글쓰기 책을 읽어도 내가 쓰지 않는다면 아무 소용이 없다. 수많은 글쓰기 책에서 말하는 비법 역시 '당장 이 책을 덮고, 쓰기 시작하라'가 아닌가! 오늘도 부족한 것은 채우고, 꾸준히 버티고, 세운 목표에 집중하면서 단단하고 멋진 몸 근육과 글 근육을 함께 키워간다. 운동하는 몸, 글 쓰는 몸을 만들어간다.

남편의 거짓말은 자란다

부부 생활은 길고 긴 대화 같은 것이다. 결혼 생활에서 다른 모든 것은 변화해 가지만, 함께 있는 시간의 대부분은 대화에 속하는 것이다.

- 니체

"나, 17년 동안 당나귀처럼 열심히 일했는데, 딱 두 달만 놀면 안 될까?"

어느 날 갑자기 남편이 직장을 그만두겠다고 했다. 잠깐 쉬면서 천천히 자리를 알아보겠다고. 지난겨울, 그렇게 아이들과 남편의 방학이 동시에 시작되었다. 남편은 매일 구직 사이트에 들어갔지만 이런저런 조건이 맞지 않는다며 결정하지 않았다. 한 달이 넘어가자 나는 점점 불안해졌다. 난생처음 남편의 사주를 보러 갔다.

두 달이 다 되어갔다. 남편은 '오라는 곳은 많지만 내가 안

가는 것'이라고 하고, 나는 '모든 조건에 들어맞는 곳이 어디 있냐'며 말다툼을 했다. 얼마 후, 4월 중순부터 출근할 수 있는 새 직장이 정해졌다.

자정 12시쯤, 갑자기 남편의 핸드폰 벨이 울렸다. 나는 안방 욕실에서 이 닦던 것을 멈추고 귀를 기울였다.

"네, 안녕하세요. 네? 그건 좀……. 제 경력을 봐서는 힘들 것 같습니다. 그럼 없었던 일로 하죠."

나는 가슴이 철렁 내려앉았다. 솔직히 제일 먼저 든 생각은 '다시 마음에 드는 새 자리를 찾으려면 앞으로 또 두 달이 걸리는 건가?'였고, 그다음은 '남편이 얼마나 자존심 상했을까?' 하는 걱정이었다. 조용히 욕실 문을 열고 나갔다.

"어떡하지. 나보다 낮게 연봉을 써낸 사람이 있다고 하네. 그 연봉으로 오겠냐고 해서 안 간다고 했어."

"계약이야 깨질 수 있지. 그래도 이렇게 밤늦은 시간에 전화하는 건 예의가 아니지!"

흥분하는 나에게 남편은 새로 오고 싶어 하는 사람이 실은 아는 후배라고 했다.

"너도 알잖아, 만 과장이라고."

"누구?"

"개 이름이 우절이지. 아마?"

4월 1일 만우절 0시였다. 아, 올해도 또 속은 것이다. 장난기 많은 남편은 항상 만우절 농담을 치밀하게 준비하고, 나는 매번 속는다. 나만 속는 것이 아니다. 가장 잘 속는 사람은 양가 부모님이다. 남편은 마흔이 넘은 내가 임신해서 늦둥이가 생겼다고 만우절 거짓말을 했다. 남편이 정관 수술한 것을 알면서도 부모님은 "풀릴 수도 있다더니……" 하면서 깜빡 속았다.

어느 해 만우절에는 학교에서 큰딸이 등교하지 않았다고 연락이 왔는데, 혹시 어머님께 전화가 왔었는지 물었다. 양가 부모님은 깜짝 놀라서, 공부 스트레스가 그렇게 심했냐며 걱정했다. 남편은 신이 나서 아무래도 딸이 가출한 것 같다며, 책상에 속세를 버리고 스님이 되고 싶다는 메모를 남겼다고 했다.

"그 절이 뭐죠? 강원도 양양에 있는……."

"낙산사?"

"낙산사 아니죠~ 만우절이죠~."

당시 유행하던 개그맨 말투로 얘기했다. 놀란 양가 부모님께 웃음 반, 욕도 반 먹었다. 물론 성공률이 항상 100퍼센트는 아니다. 차가 한 번 뒤집히는 큰 교통사고가 났다고 전화했다가 "왜 구르는 김에 두세 바퀴 더 구르지 그랬어?" 라거나, 다음 달에 미국에 이민 가는 수속을 다 밟았다고 하자 "아, 그래? 잘 가렴" 하고 놀림을 받았다.

남편은 만우절 농담뿐 아니라 평소에도 말장난을 즐기고, 웃기는 것을 좋아한다. 그는 유머 감각은 타고나는 것이라며, 농담을 잘하려면 순발력과 상황 판단력, 참신한 아이디어 등 머리가 좋아야 한다고 너스레를 떤다. 대학교 1학년 봄, 소개팅으로 남편을 처음 만난 날도 내내 웃었던 기억뿐이다. 세월이 흘러 결혼을 고민할 때, 먼저 유부녀가 된 친구가 말했다.

"결혼해, 남자친구 재미있잖아. 결혼해서 살아봐라, 웃을 일이 잘 없다."

결혼식 사회는 방송인 조영구 씨에게 부탁했다. 조영구 씨는 결혼식 중간에 다소 야한 뉘앙스로 질문했다.

"자, 신랑! '앞으로 내가 신부를 위해서 매일 이것만큼은 꼭 하겠다' 있습니까?"

"하루에 세 번 웃게 해주겠습니다!"

남편은 결혼식 때 공약한 '하루에 세 번 웃게 하기' 규칙을 지금도 충실히 지키고 있다. 하루는 내가 아침에 먼저 나갈 일이 생겨, 식사를 미리 차려놓았다. 후식으로 사과를 깎아 냉장고에 넣고 메모를 남겼다. '냉장고에 사과'. 외출했다가 들어오니 메모 밑에 남편이 한 줄 써놓았다.

'냉장고 님, 죄송합니다.'

말로 웃기지 않으면 표정으로라도 웃겨서 "오늘 세 번 웃었지? 후유~ 오늘 할 일 끝났다!" 한다.

결혼을 재촉한 친구에게 감사한다. 친구의 조언 덕분에 유쾌한 남자와 결혼해 평소에도 많이 웃고, 1년에 한 번 만우절엔 더 크게 웃을 수 있으니까.

영화 〈거짓말은 자란다〉는 만우절 하루 동안 일어난 유쾌한 소동극이다. 고급 이탈리안 레스토랑에서 인질극이 벌어지자, 주방장은 형사 친구에게 몰래 전화를 걸어 도움을 청한다.

"그거 큰일이군. 군대를 보내서 가게를 아주 박살 내주면 될까?"

늘 속아 넘어갔던 형사 친구는 이제 놀라기는커녕 심드렁하게 대답한다.

"작년에는 미슐랭에 선정됐다 하고, 그전 해엔 레이디 가가가 가게를 전세 냈고, 그전엔 스티브 잡스가 몰래 왔고, 올해는 인질극이냐!"

또 한 번 전화했다가는 공무 집행 방해로 잡아넣겠다며 화를 내고 전화를 끊어버린다.

남편 생각이 났다. 해마다 만우절 농담을 지어내는 장난꾸러기들이 세계 어디에나 있구나! 또한 그 거짓말이 항상 통하는 것은 아니구나! '거짓말은 나쁘다, 하지만 기적을 일으키기도 한다'는 이 영화의 광고 문구만큼 거창하지 않더라도, 심심한 일상에 하루쯤은 악의 없는 거짓말로 서로 웃고 즐기며 보내는 것 또한 좋지 아니한가.

3월 중순이 지나면서 남편은 '올해의 만우절 농담'을 고민하고 있다. 해가 갈수록 신선한 소재를 찾기 어렵고, 강도는 세져야 하기 때문이다. 양가 부모님도 철이 없다고 하면서도, 만우절 농담을 은근히 즐기는 듯했다. 친정어머니 방에 들어가니 올해 달력 4월 1일에 붉은색 동그라미가 쳐 있다. 날짜 밑에는 큰 글씨로 '만우절'이라고 써놓았다. 어머니는 "이번엔 바보같이 속지 않을 테다" 하며 웃는다. 남편은 올해 만우절에도 과연 성공할 수 있을 것인가? 일단 나부터 속지 않아야 할 텐데!

전쟁을 건너온 사람들

전쟁의 포화가 얼마만큼 휩쓸고 나서야 세상에 영원한 평화가 찾아올까.

-밥 딜런

지난 설날, 남편은 개성이 고향인 시아버지께 태블릿으로 위성 지도를 찾아 현재 개성의 모습을 보여드렸다.

"기차역은 지금도 그대로 쓰나 보네. 이쪽 냇가가 그때도 꽤 컸었지."

시아버지는 초등학교 저학년 때까지 살았던 동네를 자세히 기억했다. 6·25전쟁 중에 남원까지 피난을 갔던 시아버지는 두 형과 뿔뿔이 헤어졌는데, 전쟁이 끝난 후 우연히 길에서 차례차례 다시 만났다. 3형제는 기적처럼 어머니와 다시 한자리에 모였지만 아버지와는 영영 만날 수 없었다.

통일이 되면 사시던 동네에 꼭 가보자는 남편의 말에 시아버지는 희미한 미소를 띄웠다.

역시 실향민이었던 친정아버지도 지금쯤 북녘 고향을 바라보고 있을까? 아버지는 생전에 이북5도청에서 관리하는 실향민을 위한 동화경모공원 묏자리를 일찌감치 사놓았다. 돌아가신 아버지를 모시고 가보니, 파주에 있는 그곳에서 멀리 한강과 임진강을 넘어 북한이 보였다. 고향 땅을 다시 밟지 못하고 죽은 고인들의 넋을 이렇게라도 달래주고 있구나 싶었다. 문득 두 분이 어릴 적 자유롭게 뛰놀던 고향 집으로 돌아갈 수 없게 만든 6·25전쟁에 대해 나는 얼마나 알고 있나 생각했다.

1950년 6월 25일에 발발해 1953년 7월 27일 판문점 휴전 협정으로 끝난 3년에 걸친 6·25전쟁은 남·북한 사상자 230만 명, 유엔군 사상자 15만 명, 피난민 320만 명, 남편을 잃은 여성 30만 명, 고아 10만 명, 1,000만 명 이상의 이산가족을 낳았다. 하지만 기록된 날짜와 숫자로는 알 수 없는 것이 있다. 그 숫자 안과 밖에서 전쟁을 온몸으로 겪고 마음의 상처를 견뎌낸 평범한 사람들의 이야기를 말이다.

전쟁 한복판을 통과한 이야기가 흑백이나 빛바랜 사진같이 어둡고 우울하지만은 않다고 홍지흔의 『건너온 사람들』은 말한다. 작가는 실향민인 외가의 6·25전쟁 이야기를 들으며, 그 시기에 두려움과 공포만 있는 것이 아니라 기쁨과 환희도 있다는 것을 알게 되었다. 『건너온 사람들』은 전쟁이라는 거대한 역사의 파도에 휩쓸리면서도 유일무이한 개인으로 자기의 생을 살아낸 사람들의 이야기를 작가 특유의 연필 선과 먹그림을 통해 재구성한 다큐 픽션 만화다.

작품의 배경은 1950년 12월 15일에서 24일까지 열흘간 있었던 흥남 철수 작전이다. 중공군의 6·25전쟁 개입으로 전세가 불리해진 연합군은 함경도 흥남을 통해 철수를 시작하고 10만 명에 이르는 북한 주민들도 피난길에 오른다.

주인공 경주의 가족은 최소한의 귀중품과 아침상에 놓였던 수저만 챙겨 급하게 집을 떠난다. 수송선 부족으로 민간인의 승선 일은 자꾸 미뤄지고 경주 가족은 추위와 배고픔, 기다림에 지쳐간다. 갑자기 미군 선적 작업에 동원되어 가버린 아버지뿐 아니라 어머니와 8남매도 손을 놓치고 헤어졌다 다시 만나며 우여곡절 끝에 마지막 민간선 '메러디스

빅토리호'에 승선한다. 2,000명이 최대 승선 인원이었지만 1만 4,000여 명을 태운 기적의 배는 남쪽 끝의 섬 거제도에 도착한다.

폭탄이 떨어지는 불바다 속에서도 "바다를 건너는 사흘 동안 아무도 죽지 않고 다섯 명의 건강한 아이도 태어난 이 항해를 '크리스마스의 기적'이라 부른다"는 문장에서 친정 어머니가 생각났다. 서울이 고향인 어머니 역시 전쟁이 터지자 거제도로 피난을 갔다. 어머니는 종종 식탁 머리에서 당시 초등학교 5학년이었던 당신의 전쟁 기억을 생생하게 나에게 들려주었다. 집 밖에 전투기 소리만 나면 폭탄이 떨어질까 봐 온 가족이 담요와 이불을 쌓아 올린 식탁 밑으로 들어가 숨었다는 이야기로 시작한다.

당시 과학연구소에 납품하는 실험용 토끼와 쥐를 키우던 외할머니는 동물들을 두고 떠날 수 없어 피난을 미루었다. 하루는 서울을 점령한 북한군이 마당의 닭과 토끼를 발견하고 한 번에 총으로 쏴서 죽인 후 가마니에 넣고 끌고 갔다고 한다. 어머니는 군인들이 어깨에 멘 탄띠를 처음 보았고, 자동 소총 소리의 굉음을 듣고 공포에 떨었다.

어머니 가족은 1·4 후퇴 때 외삼촌이 사는 거제도로 서둘러 피난을 갔다. 피난 생활은 궁핍하고 힘겨웠다. 하지만 거제도에서 다시 초등학교에 다니고, 밤에 친구들과 수영을 하고, 한산도로 졸업여행을 갔던 이야기를 할 때, 무거운 흑백에서 컬러로 색채가 전환되는『건너온 사람들』의 한 장면이 떠올랐다. 경주네 가족이 처음 거제도에 내렸을 때 본 것은 초록으로 펼쳐진 청보리밭이었다. 어른 키만큼 눈이 쌓여 봄까지 그대로인 함경도 고향에선 보지 못했던 목련꽃 역시 아름답게 피어난다.

"할아버지는 길가에 가마니로 덮인 시신들이 보이면 꼭 하나하나 조심스레 열어보곤 하셨대. 혹시라도 인민군으로부터 도망해 한동안 연락이 닿지 않았던 큰 삼촌이 거기 있을까 살피신 거지."*

작가 역시 6·25전쟁의 국내외 자료를 조사하며 수많은 주검의 사진을 열어보았다고 한다. '남과 북의 군인들이 서로를 죽이고, 반대편에 협조했던 주민들을 죽이는 참혹한 살육의 현장. 하지만 카메라에 찍히지 않는 그들 마음속 광경은 어땠을까? 마음은 어디에 묻혔을까?' 이 물음은 작품 후반부 작가의 내면에 존재하는 전쟁에 대한 이미지, 꿈과 무의식으로 드러나고, 잠재된 불안과 슬픔을 인지하며 작품 속 인물들과 융화된다.

'나는 전쟁의 자리에 없었지만, 전쟁은 내 마음 어디인가에 존재하고 있을지 모른다.'

전쟁은 가해자와 피해자, 직간접으로 연루된 모두에게 상처를 남기고, 그 후손들의 무의식 속에 여전히 침전되어 있는 것은 아닐까. 영화 〈검찰 측 죄인〉에서도 전쟁의 상흔은 우리가 인식하지 못할 뿐 유전되고 있다고 말한다. 주인공 모가미 검사는 꿈에서 할아버지가 쓴 소설 속 전쟁터로 들어간다. 2차 세계 대전 중 무모한 최악의 작전으로 일컬어지는 일본의 '임팔 작전'이 배경이다. 일본군은 작전 목표인 인도의 임팔에는 가보지도 못한 채 버마에서 처절하게 죽어갔다. 사망자 3만 명의 대부분은 후퇴할 때 기아와 질병,

---

* 80쪽, 『건너온 사람들』, 홍지흔, 책상통신, 2019.

탈진으로 죽었는데, 후퇴로에 시체가 쌓이고 쌓여 '백골가도(白骨街道)'라 불렸다.

꿈속에서 주인공은 친구의 부축을 받으며 군에서 버려진 병사들의 쉼터인 '타난 쉼터'로 들어간다. 실패한 작전을 숨기기 위해 계급장까지 뺏기고, 죽도록 내던져진 이름 없는 병사들은 이야기한다.

"기운 차릴 때까지 쉬다 가세요."

"당신은 꼭 살아서 돌아가세요. 저희는 모두 여기서 죽겠지만요."

할아버지의 소설 속에서 깨어난 손자 모가미 검사는 일본 정부의 전쟁 야욕과 지지하는 극우 세력, 자금을 제공하고 이권을 챙기려는 대기업의 모략 등의 진실을 파헤치기 위해 노력한다. 그의 행동을 궁금해하는 후배 검사에게 그는 말한다.

"백골가도는 우리 세대까지 이어져 있으니까."

6·25전쟁이 일어난 지 어느덧 70년이 넘었다. 전쟁을 겪은 생존자들도 모두 70세가 넘었다는 의미다. 전쟁이 어떻

게 삶을 바꾸고 전쟁 후에도 어떻게 영향을 미치며 지속됐는지 그들의 생생한 목소리를 들을 수 있는 시간이 그리 많이 남지 않아 보인다. 『건너온 사람들』 속 작가의 어머니가 기억을 더듬어 직접 그린 홍남 시내 지도는 그런 의미에서 귀중하게 다가온다.

나는 그동안의 공적 기록과 이념 위주의 고백록에서 벗어나 개인의 서사를 바탕으로 한 6·25전쟁의 의미를 찾는 일이 더 활발해지기를 바란다. 전쟁 외부의 현장 기록만큼 전쟁을 겪고 목격한 사람의 내밀한 기억과 목소리도 중요하기 때문이다.

그들이 몸으로 건너온 것은 바다였지만, 마음 깊은 곳에는 여전히 건너온 전쟁의 시간이 존재한다. 6·25전쟁이라는 집단적 기억의 장소에 다양한 삶의 서사들이 모일 때, 피해 의식과 죄의식으로 점철된 '전쟁 트라우마'를 벗어나 고통스러운 기억들과 화해할 수 있지 않을까?

글을 쓰며 생각한 것

인생의 모든 것은 글로 옮길 수 있다. 그것을 쓸 만한 외향적인 용기와 즉석에서 쓸 수 있는 상상력만 있다면. 창조력의 가장 큰 적은 자기 불신이다.

- 실비아 폴라스

"어디서 타는 냄새 안 나니?"

멜로 드라마의 유명한 대사가 아니다. 타버린 생선 조림을 발견한 친정어머니의 힐난이다.

"너는 정신을 어디에 두고……."

"그러게, 내가 깜빡했네" 하고 넘어가면 될 것을 나는 "내가 일부러 그랬겠어요?" 하고 짜증을 냈다. 구시렁구시렁…… 오호라, 친정어머니와 한집에 사는 것은 흔치 않으니, '친정어머니와 함께하는 가사 노동의 희비'에 관해 써볼까? 일단 자료 조사부터. 친정어머니와 점심을 먹으며 자연스럽게 물었다.

"엄마, 이번엔 엄마 이야기를 써보려고요. 딸이랑 같이 사니까 뭐가 제일 불편해요?"

"나? 남편 얘기, 강아지 얘기 이번엔 나야?"

"엄마, 글은 삶에서 나오는 거예요. 칫!"

나는 토라져서 방으로 들어왔다. 나도 왕년에 방송국에서 끗발 날리던…… 오호라, 방송 연예 이야기를 써볼까? 잠잠하다가도 한 번씩 연예인 마약 사건이 터지곤 하니 '연예인과 마약'에 대해 써봐야겠다.

마침 다큐멘터리 영화 〈휘트니〉를 보니 옛날 생각이 났다. 〈생방송 한밤의 TV 연예〉 방송 작가로 일하던 1998년이었다. 휘트니 휴스턴의 4집 앨범 〈My love is your love〉가 나왔을 때 미국 현지 시각에 맞춰 '위성 인터뷰'를 진행했다. 휘트니 휴스턴의 눈은 풀어져 있고 몸은 흐느적흐느적, 엉뚱한 대답을 하곤 했다. 인터뷰어인 이무영 감독은 아무래도 그녀가 마약에 취한 것 같다고 짐작했다. 영화 〈보디가드〉의 영원한 디바, 휘트니 휴스턴이 저런 모습이라니 믿을 수 없었다. 새 앨범 역시 최저 판매량을 기록했다.

다큐멘터리 영화 〈휘트니〉를 보고서야 그때의 상황을 이해할 수 있었다. 일고여덟 살 무렵 사촌 이모(가수 디 디 워윅)에게 당한 성추행은 그녀가 마약을 시작하게 된 깊고 은밀한 상처가 되었다. 여자 어른의 성추행으로 성 정체성에 혼란이 온 것이 아닐까 추측하는 장면도 나온다. 동성 파트너 로빈 크로퍼드, 남편 바비 브라운, 아버지 존 휴스턴. 가장 가까운 세 사람의 돈과 권력 싸움 속에서 휘트니 휴스턴은 더욱 마약에 의존하게 된다. 휘트니는 결국 마약 중독으로 인한 자살로 삶을 마감했다.

그보다 내 경험을 쓰는 것이 생생한 글이 되니까, 직접 만난 연예인 이야기를 써야겠다. 연예 정보 프로그램 작가였다고 하면 누가 제일 잘생겼나, 누가 제일 예쁜가를 궁금해한다. 당대의 인기 스타는 모두 잘생기고 예쁘다. 순정 만화를 보며 이렇게 생긴 사람이 있을까 생각한다면? 있다. 내가 본 연예인은 대개 눈이 얼굴의 반을 차지했다. (네, 조금 과장했습니다.)

외모를 떠나 가장 기억에 남은 사람은 최민식 씨다. 영화

〈쉬리〉의 주인공으로 한석규 씨와 함께 출연했다. 스튜디오에 방송용 화장을 하고 오지 않은 유일한 게스트였다. 분장실을 안내하느라 함께 걸어가며 최민식 씨와 짧은 대화를 나누었다.

"방송 잘 보고 있어요. 그런데 우리 같은 무명 배우들 이야기도 좀 다뤄줘요. 허허허."

나는 부끄러웠다. 시청률에 급급해 어떻게든 잘나가는 스타의 인터뷰를 잡으려고 혈안이 돼 있던 내 속을 들킨 듯했다. 세상에는 알려지지 않은 배우, 가수, 희극인이 훨씬 많은데, 마음대로 급을 매기고 무시했던 내 자신이 무색했다. 그 뒤로 승승장구한 최민식 씨가 스크린 속에서 군만두만 먹다 장도리를 들어도, 명량해전에서 긴 칼을 휘둘러도 나에겐 사람 좋은 미소를 지으며 "우리 같은 무명 배우도……"라고 말하던 그 목소리가 제일 먼저 생각난다.

개인적인 연예인 사담보다 깊이 있는 주제를 찾아보자. '라이벌'은 어떨까? 사람들은 라이벌 구도를 좋아한다. 어느 분야나 누군가 혼자 독주하면 재미없으니까. 라이벌이란 팽팽한 경쟁 속에서 더 좋은 결과가 나오기도 하고.

하지만 연예계에 잔뼈가 굵은 방송국 부장님이 말했다. 세상에 동등한 실력의 라이벌은 없다고. 한쪽이 기울게 마련이라고. 그 옛날 '나훈아와 남진' 구도에서도 나훈아 씨는 남진 씨를 한 수 아래로 볼 뿐, 절대 라이벌로 보지 않았다고 한다. 내가 처음 맡았던 꼭지 'H.O.T vs 젝스키스'도 그랬다. H.O.T 팬들은 젝스키스가 H.O.T를 모방한 그룹일 뿐이라고 생각했다. 그나저나 아침 방송에서 연예 정보 프로그램으로 옮겨 연예인을 잘 몰랐던 나는 열한 명의 사진을 놓고 얼굴과 이름을 맞춰 외우느라 진땀을 흘렸다. 특히 이재원이랑 이재진은 이름이 비슷해 제일 헷갈렸다. 나중에 슈퍼주니어가 열두 명이라는 뉴스를 보고 그 시절 아이돌 그룹 숫자는 아무것도 아니었구나 싶었다.

당시 가요계는 IMF 영향으로 방송에서 가수들의 염색과 귀고리, 목걸이 등 액세서리 착용을 금지했다. 지금 같으면 네티즌 수사대에게 100퍼센트 걸렸을 일본 가요 베끼기도 흔했다.

욕설이 들어간 가사도 무조건 방송 금지. DJ.DOC 이하

늘 씨가 '조폭 영화는 욕투성이인데 왜 가요는 안 되냐'며 진한 욕을 섞어 말해서 이 인터뷰 역시 방송 불가. 당시 금기였던 아이돌 연애 스캔들을 보도했다가 방송국 전화에 불이 났었다. 전화기가 다섯 대밖에 안 돼서 통화 연결도 무척 힘들었을 텐데. 팬 여러분, 고생하셨습니다.

이렇게 생각에 생각만 하다 자정을 넘겼다. 한 편의 글도 완성하지 못했지만 나의 기억과 경험을 무작정 써보는 것도 의미가 있지 않을까? 〈아무도 모른다〉, 〈어느 가족〉으로 유명한 감독 고레에다 히로카즈의 『영화를 찍으며 생각한 것』을 읽다가 눈이 번쩍 뜨인 일화 때문이다.

영화 〈원더풀 라이프〉의 카메라 감독 야마자키는 촬영 현장을 끊임없이 찍었다. 필름으로 영화를 찍을 때라 프로듀서가 "이제 필름 없어요"라고 해도 "그럼 비디오라도 좋으니 찍을게요"라며 촬영을 멈추지 않았다. 나중에 그 영상을 본 고레에다 감독은 놀랐다. 영화에 출연한 일반인들이 카메라를 의식하지 않고, 편안하게 추억을 이야기하고 재현 장소에 서서 고민하는 장면이 더 생생하고 리얼했다. 고레에다 감독은 대본대로 찍은 필름을 버리고, 카메라 감독이

찍은 메이킹 영상을 영화에 넣었다.

글쓰기도 그렇지 않을까. 촬영 현장에서 무엇이든 찍고 보는 카메라 감독처럼 쓰는 사람이란 역시 일단 쓰고 봐야 한다. 글이 되든 안 되든 일단 써보자, 하고 마음을 먹었다. 오늘 쓴 여러 에피소드 중 하나가 마중물이 되어 새로운 글을 시작할 수도 있다. 기억을 확장해 더 정교하게 조립할 수도 있다. 레고 블록을 만들 때, 어떻게 쌓느냐도 중요하지만 일단 다양한 색깔과 모양의 블록 조각을 펼쳐놓는 일이 먼저가 아닐까.

많은 작가들이 메모의 중요성을 이야기한다. 불현듯 떠오른 아이디어뿐 아니라 일상의 풍경, 만나는 사람, 삶의 작은 변화, 사소한 느낌을 기록해야 한다고. 그때 느낀 감정 표현 하나가, 어떤 상황에서 적은 단어 하나가 모든 걸 말해줄 때가 있으니까. 오늘도 생각이 흐르는 대로 글을 써본다. 그렇게 글을 쓰다 보면, 쓰다가 쓰다가 보면 좋은 글이 또 한 편 나오지 않을까?

서두를 필요는 없다. 반짝일 필요도 없다.
자기 자신 외에는 아무도 될 필요가 없다.
- 버지니아 울프

오바마 대통령 시절 급부상한 브루킹스 연구소는 미국에서 영향력이 가장 큰 사회과학 연구소다. 1916년에 설립되어 연구원만 300명이 넘는 공신력 있는 이 연구소에서 발표한 자료에 따르면 사람들은 20대에서 40대 초반에 행복감이 가장 낮다고 한다. 그리고 여성은 55세를 기점으로 점점 더 행복해지며 인생의 막바지에 이르러 행복의 절정을 느낀다고 한다.

야호! 갑자기 기운이 났다. 내가 잘못 본 것은 아니겠지 싶어 차분히 다시 한번 읽었다. 연구 결과는 '나이를 먹어갈수록'이 아닌 '삶에 더욱 감사하는 마음을 갖는다'에 방점이 찍혀 있다는 생각이 들었다.

나 역시 나이가 들수록 매일매일에 감사하는 마음이 커진다. 좋은 일이 항상 좋은 일은 아니며, 나쁜 일이 매번 나쁜 일로 끝나지 않는다는 것을 세월을 통해 겪었기 때문이다. 얼마 전 만난 친구의 이야기에서도.

친구는 대기업 주재원으로 발령 난 남편을 따라 홍콩에 오래 살았다. 5년 전, 갑작스러운 회사 파산으로 한국에 돌아와야 했다. 남편의 취업, 아이의 전학, 집 구하기 등 들이닥친 문제로 힘들었던 친구는 홍콩에서 계속 안정적으로 사는 사람들을 부러워했다.

하지만 최근 홍콩에 남은 지인과 통화하면서 뜻밖의 말을 들었다. 그들은 홍콩송환법 반대 시위로 사회 경제 전반이 불안정하고 힘들다며 하소연했다. 몇 년 전 한국에 들어가 다시 자리 잡은 내 친구를 부러워했다고 한다.

"하지만 지금 상황이 또 어떻게 바뀔지 누가 알겠어?"

친구는 '인간만사 새옹지마'라며 희미하게 웃었다.

인생이 어떻게 흘러갈지는 아무도 모른다. 당장 내일 일을 모르는 것이 인생이다. 그러니 오늘을 감사하며 살 수밖에. 사람이 행복하지 못한 것은 과거에 대한 후회와 미래에 대한 불안 때문이라고 한다. 인생의 시점을 과거나 미래가 아닌 바로 오늘에 맞추고, 일상의 소소한 기쁨을 찾는 것이 행복한 삶이 아닐까. 아일랜드 시인 예이츠도 나이 오십에 이르러 일상에서 삶의 행복을 찾았다고 전한다.

나의 쉰 번째 해가 다가왔다 지나가고,
외톨이인 나는,
북적이는 런던의 어느 찻집에 앉아 있었다.
대리석 탁자 위엔
펼쳐진 책과 빈 잔 하나.
가게와 거리를 멍하니 바라보고 있을 때
갑자기 내 몸이 달아올랐다.
20여 분은 족히 되었으리라,
행복감에 흠뻑 젖어든 나머지 나는
축복받은 느낌이었고 그래서 축복할 수 있었다.

–「출렁이는 마음」 중에서

예이츠가 나에게 보내온 생일 카드 같았다. 1865년생인 예이츠가 50세가 된 해는 1915년 즈음이겠지. 100년 전 런던의 카페 풍경은 내가 시 속으로 들어간 듯 지금 내가 앉아 있는 서울의 한 작은 카페와 닮았다. 예이츠는 읽을 책 한 권, 맛있는 커피 한 잔, 분주히 오가는 사람들의 거리 풍경, 그리고 그 속에서 오롯이 나를 마주해 행복을 느낀다. 내 마음이 충만하기에 다른 사람을 진심으로 축복하며 곁을 내줄 수 있다.

지난 주말, 생신을 맞으신 남편의 외할머니를 뵙고 왔다. 거실에 걸린 옛날 사진을 둘러보면서 이런저런 이야기를 나누었다.

"할머니 칠순 잔치 사진부터 제가 있네요, 이때 막 결혼했을 때인데요. 세월이 얼마나 빠른지…… 제가 벌써 쉰이에요."

할머니는 웃으시면서 말했다. "그렇지. 나도 앞의 숫자가 바뀌니까 마음이 좀 그래."

올해 아흔, 80대에서 90대로 바뀌는 할머니 앞에서 나이 타령이라니! 번데기 앞에서 주름잡기, 아니 공자 앞에서 문자 쓰기였다.

할머니는 손주며느리인 나를 볼 때마다 “하고 싶은 것 하고 살아라” 하고 당부한다. 가만히 말씀을 들어보면 세계 일주 여행같이 거창하고 특별한 이벤트가 아니라 ‘평소에’ 내가 하고 싶은 것을 하고 살라는 뜻이다. 남이 기대하는 것, 남에게 인정받기 위해 하는 것이 아니라 내가 즐거워서 하는 것, 스스로 성취감을 느끼는 것. 그것은 결국 ‘가장 나답게 해주는 것’일 테다.

지금 나에게는 글쓰기다. 누가 쓰라고 강요하지 않아도, 누구에게 보여주지 않아도 글을 쓰고 싶다. 마음의 심지에 불을 댕겨 굳은 머리와 산란한 마음을 녹인다. 며칠씩 고민하며 사유의 틀을 짜고 촛농을 굳혀 나만의 글을 쓴다. 글을 쓰며 내가 살아 숨 쉬는 고유한 존재임을 느낄 때 나는 행복하다.

행복이란 내가 마음을 다할 수 있는 일을 갖는 것이구나 싶다. 나에게는 글쓰기가, 누군가에겐 직장이나 모임의 활력이, 누군가에겐 자녀를 돌보거나 정성껏 준비하는 식사일 수도 있다. 최근 집에서 빵을 굽기 시작한 친구는 이스트 대신 천연 발효종(르뱅)을 이용해 만든다. 천연 발효종은 매일 밀가루와 물을 첨가해 영양분과 수분을 유지하지 않으면 효모가 죽어버린다. 그가 하루도 거르지 않고 적절한 온도를 유지하며 '마음을 다해' 키운 천연발효종으로 만든 빵은 언제나 맛있다. 친구의 얼굴에서도 따뜻한 빵만큼 말랑말랑한 행복을 엿본다.

작가 알렉산드르 솔제니친은 "행복은 축복의 횟수가 아니라 행복을 대하는 우리의 태도다"라고 말했다. 감사하는 마음으로 삶을 바라보는 우리의 태도가 우리를 행복하게 만들 것이다. 나라는 존재의 밀물과 썰물을 자연스럽게 받아들이면서 나만의 템포와 리듬으로 삶의 파도를 신나게 즐기자. 우리가 주어진 시간을 충실히 채워가는 것만으로도 우리의 삶은 아름답다고 말할 수 있지 않을까?

나이 들면
즐거운 일이
없을 줄 알았습니다

지은이 | 전윤정

초판 1쇄 발행 | 2021년 4월 5일

펴낸이 | 이한나

교정교열 | 정혜주

디자인 | 김아름 @piknic_a

펴낸곳 | 세이지(世利知)

등록 | 2016년 5월 16일 2016-000022호

주소 | 경기도 군포시 용호2로 54번길11, 504호

대표전화 | 070-8115-3208

팩스 | 0303-3442-3208

메일 | booksage@naver.com

ISBN | 979-11-89797-07-2 03810

생활의 미학

비우며 발견하는 행복, 나와 친해지는 시간

지은이 고명한 | 에세이 | 값 13,500원

"삶의 본질은 밖이 아닌, 단순하고 반복적인 일상 안에서 찾는 것입니다"
네이버 블로거 '본질찾기'가 전하는 비움의 철학과 생활의 노하우

갖추지 않고도 풍요로운 삶을 살 수 있는 방법을 제안하고, 덜어냄으로써 다 갖추게 된 소박한 일상 속으로 우리를 초대한다.

어느날 중년이라는 청구서가 날아왔다

나를 흔드는 세상, 자존을 지키며 사는 법

지은이 고명한 | 에세이 | 값 13,000원

"우리는 조연이 되어가는 걸까"

대학에서 심리학을 가르치는 저자가 중년에 경험한 상실과 변이의 과정을 털어놓고 스스로 극복해낸 삶의 과정과 생활 철학을 전한다.

잡지의 사생활

미감과 호기심, 대화와 물건으로 이루어진 매체를 서울에서 만드는 일에 대하여

지은이 박찬용 | 에세이 | 값 14,000원

"책보다 빠르고 신문보다 깊은 매체를 만드는 창의적 노동에 관하여"

욕망을 자극하는 화보부터 속 깊은 인터뷰, 차가운 칼럼까지, 월간 <에스콰이어> 피처 에디터였고 현재 매거진 <B> 에디터인 박찬용이 잡지를 만든 경험과 고민, 매체 안팎에 얽힌 궁금증, 잡지 에디터의 삶에 대해 이야기한다.

탐나는 프리미엄 마케팅

비싸고 더 잘 팔리는 브랜드의 경험 설계 전략

지은이 최연미 | 경제경영 · 재테크 | 값 14,500원

"우리가 마케팅하면 시장 규칙이 바뀐다, 돈을 쏟아붓지 않아도"

세계 도처에서 고객들을 줄세우는 정교한 프리미엄 마케팅 전략을 밝힌다. 기존에 없던 방식으로 새로운 시장을 발빠르게 개척하는 글로벌 브랜드의 마케팅 설계도와 수많은 프리미엄 브랜드의 성공 공통분모를 찾아 이 책에서 풀어낸다.

내 통장 사용설명서

통장 7개로 시작하는
세상에서 제일 쉬운 재테크

지은이 이천 | 경제경영 · 재테크 | 값 14,000원

“어렵고 복잡한 재테크, 통장으로 시작하면 쉽습니다”

자산의 뼈대를 세우는 월급통장, 예금·적금 통장부터 집을 마련하고 노후를 준비하고 위험을 대비하는 청약, 보험, 연금까지, 상품의 기본 지식부터 일반인들은 모르는 전략적 활용법을 담은 재테크를 시작하는 사람을 위한 눈높이 맞춤 지도서.

3인 가족 재테크 수업

부부와 외동아이, 돈에서 자유로워지는

지은이 이천 | 경제경영 · 재테크 | 값 14,500원

“아이는 하나인데 왜 돈은 더 많이 쓸까요?”

아이가 하나라 가족끼리 결속력도 크지만 리스크도 안고 있는 3인 가족.
대한민국 1세대 재무설계 전문가가 100여 케이스가 넘는 3인 가족과의 상담을 바탕으로 가족의 행복을 만들어갈 재무 설계 방법을 전한다.

출간도서

세이지
世利知
출판사

내 청약통장 사용설명서

청약통장은 있는데 청약은 모르는
3040 무주택자를 위한 내 집 마련의 기본

지은이 눈을떠요 |경제경영 · 재테크 | 값 14,600원

"청약통장, 언제까지 묵혀둘 건가요?"

내 집 마련을 고민하는 3040에게 최근 업데이트된 부동산 정책을 바탕으로 부동산의 기본 개념 정립부터 개인별 맞춤 청약 실전 전략까지 알려주는 친절한 내 집 마련 입문서.

나는 코스피로 돈 벌어 해외주식 산다

주식 사는 습관으로 경제적 자유 얻는 법

지은이 마준원 |경제경영 · 재테크 | 값 14,000원

"한국주식부터 해외주식까지, 장기적 수익 내는 주식투자 길라잡이"

적은 돈으로 주식을 시작해 코스피와 미국, 중국, 베트남 주식시장에 투자해 안정적인 수익을 낼 수 있는 쉽고 안전한 투자 방법을 알려준다. 서울과 경기도에서 주식투자 스터디와 강의를 하며 많은 이들을 주식의 세계로 안내한 저자의 왕초보 주식투자 가이드.